新　潮　文　庫

ギリシア神話を知っていますか

阿刀田　高　著

新　潮　社　版

3180

目次

ギリシア神話を知っていますか

I　トロイアのカッサンドラ

もう一つの名を多島海と呼ぶエーゲの海。地図を開けば、レスボス、サモス、ロドス、クレタ……などなど、それぞれに歴史のエピソードを背負った大小さまざまな島嶼《とうしょ》が奇っ怪な形状で散らばっている。

この海を挟んで左にギリシア、右にトルコが対峙《たいじ》している。そのトルコ領の北端、黒海から続く細い海の中道が海湾に口を開く、その喉《のど》のあたりにトロイアの町があった。

海抜二百メートルほどの小高い丘陵に建つ町は、エーゲ海の北域を一望のうちにおさめることができた。海への道のりは約五キロ。この程度の距離があれば、海上からの直接の攻撃を受ける危険も少なく、さりとてみずから海へ乗り出すにはさほど不便ではない。こうした地理的な好条件が古くからこの地を繁栄させた理由でもあった。

とりわけプリアモス王の頃にはよく栄え、ギリシア本土の都市国家を脅《おびや》かすほどの勢力に成長していた。

ギリシア神話によれば、このプリアモス王も大神ゼウスの末裔《まつえい》で、ややこしい系図を略記すれば、ゼウスの子がこの地初代の王ダルダノス、ダルダノスの孫がトロス、トロスの子がイロス、イロスの子がラオメドン、ラオメドンの子がプリアモス――つまり、プリアモスはゼウスの六代下の子孫ということになる。

人格は高潔にして愛情にこまやか、そしてなによりもエネルギッシュな王様であったにちがいない。論より証拠、子どもの数は、なんと息子五十人娘五十人。もちろん奥さんのほうは一人ではない。念のため……。

けっして粗製濫造《らんぞう》というわけではなく、ヘクトル、パリス、ディポボスなど、トロイア戦史を彩《いろど》る数多《あまた》の英雄たちが、その子どもの中に含まれている。

この章のヒロイン、カッサンドラもまたプリアモスの娘であった。

大変に美しい王女であった、と言う。

また大変に聡明《そうめい》な王女であった、とも言う。

彼女については〝プリアモスの娘の中で一番美しい〟という評価が、一つの決まり文句のようについてまわるのだから、たしかに一かどの美女であったことは間違いあるまい。

しかし、ギリシア神話を一度でも読んだことのある人ならだれでも知っているように、カッサンドラの同時代には、絶世の美女へレネがいた。

浮気者の大神ゼウスが白鳥に化けてレダに近づき、その結果として生まれた子どもが、ヘレネであった。お母さんのレダも美人だったが、娘はさらに美しい。血筋も申し分ない。さながら輝く太陽のようにきらびやかに——時には周囲を威圧するほどに眩《まば》ゆく光る美女であった。性格の面でも奔放な情熱家。つねに自分の美貌《びぼう》を意識して、大胆に、華やかに、心の赴くままに振舞う女でもあった。

これに比べれば、カッサンドラの美しさはずっと控え目である。太陽に対する月の美しさと言うべきだろうか。ヘレネの美貌に驚嘆したあとで、ふと視線を移すと、野に咲くヒナゲシの花のように、可憐《かれん》な、清楚《せいそ》な魅力を放っている女がそこにいる。それがカッサンドラであった。

ヘレネも、カッサンドラも、悲劇的な生涯を送ったことに変りはないけれど、ヘレネの場合は隕石《いんせき》がみずから火を吹いて燃焼し、やがて燃え尽きてしまうような、そんな印象でさえある。一方カッサンドラはいつも他動的であった。けっして歴史の主役にはならない女。しかし、すこぶる重要な脇役《わきやく》を担《にな》った女、それが彼女の生涯であった。

ともあれ、カッサンドラを語る前に、あの有名なトロイア戦争の歴史について、一通りの知識を呼び起しておかなければなるまい。

プリアモス王の王子パリスが誕生する直前に予言者が現われて、おごそかに宣告を下した。

「この子はやがて父親の国を破滅させるであろう」と。

王は恐れおののき、早速生まれた子を奴隷《どれい》に与え、イデ山の山中に捨てるように命じた。

奴隷は命令通りに子どもを山奥に捨て放ったが、牝熊《めすぐま》が乳を与えて養った。

五日後に行ってみると、赤ん坊は木のほらの中でスヤスヤと眠っている。

そのあどけない美しさと言ったら……。

奴隷は抱きかかえ、自分の家に連れて帰り、パリスと名づけて育てた。

年月が流れ、子どもはりっぱな若者に成長した。輝くばかりの美貌、人並み優れた体力。ギリシア的英雄の条件をあますところなく具現したような、雄々しい青年であった。

ある日のこと、パリスが家畜の世話をしながらイデ山の高原を散策していると、目の前に三人の女神が現われた。

その三人は、ゼウスの妻のヘラ、知恵の女神アテネ、そして愛の女神アフロディテ。三人の中でだれが一番美しいか、その審判をパリスに下してもらおうという趣向である。

いずれアヤメかカキツバタ。

パリスが戸惑って首を傾《かし》げていると、女神たちはそれぞれにおいしい誘惑の条件をちらつかせ始めた。

まずヘラが、なにしろ彼女は権力の座にある女神だから、

「私を選んでくれたら、地上で一番すばらしい国の支配者にしてあげるわ」

と、言う。

ついでアテネが、

「私を選んでくれたら、地上で一番の知恵者にしてあげるわ」

と、告げれば、最後にアフロディテも負けじとばかり、

「私を選んでくれたら、地上で一番美しい女をあなたの妻にしてあげるわ」

と、囁《ささや》く。

さあ、どれを選んだらよいものか。

途方もない未来の賄賂《わいろ》を前にしてパリスは、さらに困惑したことだろう。

しかし、今にして想像すれば、やはり三人の中ではアフロディテが一番美しかったにちがいない。彼女は愛の女神であると同時に美の女神のほうも兼務していた。美の女神が美しさにおいて他の女神に劣っていたのでは、仕事がやりにくい。説得力にと

ぼしい。

ちなみに言えば、ギリシア神話のアフロディテは、ローマ神話ではヴィーナスに該当する。ヴィーナスと言えば、ミロのヴィーナスを初め数々の芸術作品でその美しさが証明されている。

ギリシア神話とローマ神話とは、発生的にはまったく別個の神話であったが、なにしろローマの文化はギリシア文化の多大な影響を受けて発展したものだから、神話のほうも時代とともに渾然《こんぜん》一体、どちらがどちらと見分けがつかぬほど混り合ってしまった。アフロディテ・イコール・ヴィーナスと考えて、当らずとも遠くない。

英語の辞書を引くと、アフロディテおよびヴィーナスから誕生した言葉はたくさん残っている。アフロディジアと言えば性的興奮。アフロディジアックと言えば催淫剤《さいいんざい》。飲むとたんに性欲が昂進《こうしん》するお薬だ。一方、ヴィーナスのほうは、ヴィーナス丘が、女性の下腹の恥毛などが生い繁《しげ》るふくらみの部分。ヴィーナス帯と言えば貞操帯。そしてヴィーナス病は性病のこと。どれもこれも〝愛〟の女神と関係がなくもないけれど、すべて肉体的な〝愛〟を連想させるものばかり。それもそのはず、愛とは本来肉体的なものだという考え方はヨーロッパ文化の中では、むしろ支配的である。とりわけ男女の愛は心の営みであるより先に、まず肉の営みであった。

それはともかく話をもとに戻して、パリスは、アフロディテの、とろけるような美貌に魂を奪われ、

「あなたが一番です」

と、宣告してしまった。

アフロディテはニッコリ。

だが、他の二人はおもしろくない。恨みの形相ものすごく、この屈辱を忘れてなるものか。いつの日かパリスの故国トロイアを滅亡させてしまうぞ、と、そう口穢《くちぎたな》く宣言して立ち去った。

パリスの立場としては、どこかの国の総理大臣みたいに、

「アー、ウー」

などとうめきながら態度を不明瞭《ふめいりょう》にしておいたほうが賢明だったのかもしれない。話はいっこうにカッサンドラのところまで届かないけれど、もう少し我慢してください。

さて、パリスは心待ちにしていたが、アフロディテの約束はなかなか実現されない。青年は仕方なしに河の神の娘オイノネを妻に迎え、相変らずイデ山で牛や羊を飼いながら暢気《のんき》に暮していた。

この娘も十人並みの器量だったから、

「これが世界一なのかなあ」

と、半信半疑の気持ちでいたことだろう。

そうこうするうちに、プリアモス王が競技会を催すことになり、その賞品としてパリスの飼っていた牡牛《おうし》が一匹強制的に調達されてしまった。

パリスはこの牛を大変かわいがっていたので、おおいに落胆したが、

「なに、取られたものは取り返せばいい」

と考え、みずから競技会に参加するために山をおりた。

腕力には自信があったのである。トーナメント方式の競技会は次第に進んで、プリアモスの王子ヘクトルとパリスが残った。先に私はプリアモス王には百人もの子どもがいたと言ったが――当然妻も大勢いたのだが、一番実権があったのは二度目の妻のヘカベで、その第一子がヘクトル、第二子が捨てられたパリス、ずっと末のほうに娘のカッサンドラがいた。

だからヘクトルとパリスの戦いは、実の兄弟同士の争いである。

一方が攻めれば一方が受け、一方が反撃に出れば一方が防御にまわる。しばらく熱戦が続いたが、結局若いパリスのほうが勝利をおさめた。

羊飼いの青年に打ち負かされては王子の面子《メンツ》が丸つぶれだ。

「おのれ、この下郎め」

と、王子のディポボスが剣を抜いて刺し殺そうとしたが、そこへ妹のカッサンドラが飛び出して来て、

「お兄さん、待って。この人はただの羊飼いじゃないわ。私たちの兄弟よ」

と、まっすぐに若者のほうに指を差して告げた。

プリアモス王も妻のヘカベ妃もおおいに驚いて調べてみると、カッサンドラの言うことに間違いがない。

両親兄弟たちは、かつて「この子は国を滅ぼす」と予言されたことも忘れて、再会を喜びあった。

パリスはいまわしい過去の予言をきれいサッパリ忘れさせてしまうほど、たくましい、高貴な風貌の若者として帰って来たのであった。

トロイアの王子として迎えられたパリスに間もなく一つの使命が下った。

それは——話は数十年過去にさかのぼるのだが——プリアモス王には敬愛する姉のヘシオネがいて、この姉が昔ギリシアに略奪され、今はサラミスの女王となってさびしく暮していると言う。プリアモス王はこの過去の屈辱を忘れられない。故国を離れ

た姉のことを思えば、不憫《ふびん》でもある。

いまやトロイアも強国となったのだから、

「姉を取り戻そう」

と考え、パリスに命じて力ずくでも奪って来い、と告げた。

パリスはトロイアの威信を賭《か》けた強大な艦隊を率いてエーゲ海を西へ進んだ。

目指す目的地はスパルタ。

スパルタ王に伯母ヘシオネの譲り渡しを交渉し、交渉が難航するようならそのままサラミスに攻め込んでヘシオネを奪還する計画であった。

艦隊はスパルタの南海上のキュテラ島に停泊し、示威運動を開始する。水平線上に勢揃《せいぞろ》いしたトロイアの船隊は、真実目をあざむくほどに優美であり、また無気味な威力に溢《あふ》れていた。

スパルタ王メネラオスはその時あいにく国を離れていた。

留守を守っていた王妃が、絶世の美女ヘレネ。生来奔放な性格の女だから、退屈で仕方がない。夫の不在が続き、性的にも欲求不満の状態にあったのかもしれない。

「トロイアの大船のすばらしいことと言ったら……」

「王子さまがものすごい美男子なんですって」

くちさがない腰元たちの話を聞いているうちに、ヘレネはふと他国の王子に会ってみたくなった。

パリスがキュテラ島の神殿に参拝するという噂《うわさ》を聞き、

「そう言えば、私も長いことあそこの神殿には行ってないわ、お供物をしなくちゃあ」

と、適当な口実を設け、日時を合わせてアルテミスの神殿へ赴いた。

パリスが奉納を終えて振り返ると、背後にヘレネの一行がたたずんでいた。

「…………」

パリスはしばらくは声も出なかった。

スパルタ王妃の美しさは、彼も人づてに聞いて知っていた。

しかし、これほどの美しさであろうとは……。

ヘレネのほうもまたこの異国の王子の美貌に魂を奪われてしまった。

二人がどれほどの時間、恍惚《こうこつ》として顔を見合わせていたかわからない。

思いのほか短い時間だったかもしれない。

いや、周囲に気まずさが流れるほど長い時間だったのかもしれない。

ただ二人にとって――パリスとヘレネにとっては、時間の経過は少しも意識されなかった。

音もなく流れ去る時の動きの中で、パリスはさながら神の啓示にでも打たれるように、

——ああ、この人がアフロディテが私に約束した女だ——

と、悟った。

ヘレネもまたパリスの瞳《ひとみ》の中に宿命的な結びつきを見抜いた。

恋情がたちまち野を駈《か》ける火のように二人を包み、パリスはおのれの使命を忘れ、ヘレネは王妃としての立場を忘れた。

それでもヘレネは必死の思いでパリスの前を立ち去り、王宮に戻って一刻も早く夫が帰還することを願った。

「あなた、早く帰って来てください、このままでは私、あの王子に心を奪われてしまいそう」

その願いもむなしく、王宮のヘレネの前に現われたのはトロイアの王子その人であった。

名目はスパルタ王妃に対する表敬訪問ということだが、パリスの野心は彼の理性を盲目にしていた。

「スパルタを襲え。物資を略奪しろ」

戦士たちをそそのかし、みずからはアフロディテの加護を信じながら、ヘレネを胸に抱き締め、風のごとくスパルタの地を立ち去った。ヘレネは迷いながらも結局は美《び》貌《ぼう》の王子の腕に身をゆだねた。

当然のことながらスパルタ王メネラオスは激昂した。

この王もゼウスの末裔《まつえい》で、当時なかなか羽振りがよかった。しかも兄のアガメムノンはギリシア諸国の盟主的位置にあった。

「兄さん、どうしよう？」

「一族に加えられた恥辱は意地でも雪《そそ》がなければなるまい。ギリシア人の面目にもかかわる問題だ」

これより先、ヘレネが結婚適齢期にあった頃、ギリシアの国王たちはこぞってこの美女を自分の妻にしようとして名乗りをあげた。ヘレネの養い親テュンダレオスは、無条件のまま花婿《はなむこ》を選ばせたのではあとに禍根を残す。そこで、候補者たちに次の約束を誓わせた。

一つ、花婿になりたい者は遠慮なく名をあげよ。全部が出揃ったところでヘレネの意志によって選ばせる。

一つ、いったんヘレネが選択をおこなったのちは、その結果がどうあれ全員いさぎよくその決定に従い、不服を申し述べない。

一つ、もし後日この決定に不満を抱く者が現われ、ヘレネを奪おうとする事態が生じた場合には、候補者たちは一致協力してその暴挙に立ち向う。

こういう誓約のもとにメネラオスがヘレネの夫に選ばれたいきさつがあったから、かつてヘレネの候補者として名を挙げた国王たちは、メネラオスの要請を受けて、すぐさまパリス攻撃に立ちあがらなければいけなかった。

かくてアガメムノンを総大将としてトロイア遠征隊が組織された。

パリスの船団よりさらに雄大なギリシアの艦隊が今度はエーゲ海を東に向けて横切った。オデュッセウスやアキレウス、ネストルを初めとする名だたる武将たちがこれに加わった。

ヘレネを略奪したパリスは、トロイアには帰らず地中海のあちこちの港へ流れ蜜月《みつげつ》の甘い日々を送っていたらしい。若い頃に羊飼いなどをやっていただけあって、この男は万事牧歌的で、物事をあまり深刻に考えない癖があったようだ。

ギリシアの船団はトロイアの沖合に集結し、使者がプリアモス王のもとに送られた。

「なんと！　パリスがヘレネを連れて逃亡したと？」

プリアモス王も合点がいかない。

トロイアではパリスの船団が嵐《あらし》にでもあって絶滅したのだと考えていた。

使者は口ぎたなくパリスの悪行を非難し、ヘレネの返還を求めた。

プリアモス王は、かつて自分の姉がギリシアに略奪されたことを引きあいに出し、姉と引き替えにヘレネを戻そうと提言するが、使者は、

「それとこれとは別問題。ヘレネは無条件で返されなければならない」

と、譲らない。

たがいに売り言葉に買い言葉、国の威信も複雑にからんでいるので交渉は決裂。幾多の紆余《うよ》曲折があったすえトロイア戦争の幕が切って落とされた。

この戦争の悲劇的な末路をいち早く予測したのが、プリアモスの娘カッサンドラであった。

「お父さま。私の眼にはトロイアの町がまっ赤な火をあげて燃え落ちる光景がはっきりと見えるのです。大勢の死者。敵軍のどよめき。ああ、海までが血の色でまっ赤に染まっています」

カッサンドラは、肩を震わせ悲痛な声で訴えたが、プリアモス王をはじめトロイアの勇者たちは少しも耳を傾けようとはしなかった。

なぜ？　それにはそれなりの理由があったのである。

西洋人名辞典を引くと、カッサンドラの項目には〝トロイアの女予言者〟と記されている。

その通り。彼女はすこぶる精度の高い予言を告げる女として神話の随所に登場する。

彼女に予言の能力を与えたのは、オリンポスの神々の一人アポロンであった。

この神も大神ゼウスに負けず劣らず好色で、ちょっとかわいらしい女を見つけると、すぐに口説いて自分のものにしたくなる。

カッサンドラはヘレネには比すべくもないが、それなりに美しい少女であった。

アポロンはこの娘の可憐《かれん》な美しさに引かれて、早速口説きにかかった。

ギリシア神話では、登場人物の年齢が――つまりある事件があったとき、だれそれが何歳くらいであったのか、そのへんの事情があまり判然とはしないのだが、アポロンとカッサンドラの間で交渉があったのは、おおよその見当で言って、トロイア戦争の十年ほど前、パリスが山からおりて来たときより数年前ではなかっただろうか。

カッサンドラは、まだ世間のことなどなにもわからない小娘だった。

「さあ、カッサンドラ、私の胸に抱かれるがよい」

少女は本能的におびえて身を堅くしたが、相手がオリンポスの神々の一人であることを思えば、あからさまに逆らうことはできない。

「なにも恐れることはない。静かに身を横たえ、じっと目を閉じていればよいのだ」

「……………」

少女はなおも戸惑い続けていた。

「よろしい。私の胸に抱かれたら、お前に褒美《ほうび》として予言の力を与えてやろう。お前の身の上になにが起るか、美しいトロイアの国の運命がどうか、なにもかも正確に予知する能力じゃ」

神の意志には逆らえないと覚悟していたカッサンドラは小さく頷《うなず》いた。

「よし。素直ないい娘だ。私の誠意の印としてすぐに予知の能力を与えてやろう」

アポロンがなにやら呪文《じゅもん》のようなものを唱えると、天空がにわかに輝いて一条の光がカッサンドラの頭に射《さ》し込んだ。

「これでもうお前は女予言者だ。さ、衣服を脱いで、ここへ来るがよい」

「お待ちください」

カッサンドラは衣裳《いしょう》を脱ぎながら、手を留め、ふと思った。

――本当に予言の能力が身についたのかしら？　アポロン様に身をまかせて私は本当に幸福になれるものかしら？――

そう考えたとたんに、カッサンドラの脳裏に、さながら明晰《めいせき》な絵でも描くようにアポロンに捨てられ、みじめに打ちひしがれている自分の姿が浮かんだ。

——いけない。この人に身をゆだねても私は幸福になれない——

とっさにカッサンドラの考えが変った。

アポロンは、処女が自分の前に身を投げだす様子を想像して、さぞや浮かれ調子でいたことだろう。

カッサンドラが脱兎《だっと》のごとく逃げ出したのに気がつかなかった。

しばらく待って、

「おい、どうした」

と、声を掛けたが、もう姿もあらばこそ。

「畜生、あの小娘め」

と、神様にしてはチトはしたない言葉を吐いてくやんだ。

——こんなことなら、予言の能力なんか与えるんじゃなかった——

と、地団駄踏んでみても、いったん与えたものは、もう取り返せない。それがオリンポスのルールであった。

アポロンは仕方なしにもう一度新しい願いを立てた。

「よし、では、こうしよう。どうかカッサンドラの予言をだれもがけっして信じないように」と。

神の願いはたちまち効力を発揮した。

以来カッサンドラは、すべての事柄に関して正確な予言を下した。しかし、だれもがそれを信じない、そういう宿命を担《にな》うこととなった。

このあたり、ギリシア神話の辻褄《つじつま》のあわせかたは、みごとと言うよりほかにない。トロイア戦争の折に、あの有名な木馬を城内に引き入れようとしたとき、必死になって反対したのは、だれあろう、このカッサンドラであった。

彼女の眼にははっきりと見えたのだ。

夜陰に紛れてギリシアの兵士たちが、ぞくぞくと木馬の中から這《は》い出して来るさまが……。トロイアの城に火が放たれ、城塞《じょうさい》が次々に崩れ落ちるさまが……。兄弟たちが流すおびただしい血の色が……。女子どもの悲しい泣き声も明晰に耳の奥に響いたにちがいない。

彼女は狂気のように城内を駈けめぐって危険を訴えた。

「木馬を運んではいけない！　中にギリシア人が隠れている」

しかし、トロイアの戦士たちは、つかの間の勝利に喜び、祝い酒に酔い痴《し》れていた。

だれもが彼女の予言を信じようとはしなかった。それまでに何度も正しい未来を言い当てて来たカッサンドラの予言に——その正確さを知っていながら、けっして耳を傾けようとはしなかった。

彼女は疲れ果て、よろよろと城壁の柱のもとに身を預けた。

また不思議な光景が眼底を払って消えた。

火の海の中でギリシア人に犯される自分の姿が……。囚《とら》われ人となってギリシアの船に繋《つな》がれた自分自身の姿が……。遠いギリシアの地の、どこか見知らぬ闇《やみ》の中で、鋭い刃が彼女の脳を目がけて落ちて来るさまが……。

それがとりもなおさず彼女の逃れられない未来であった。

II

嘆きのアンドロマケ

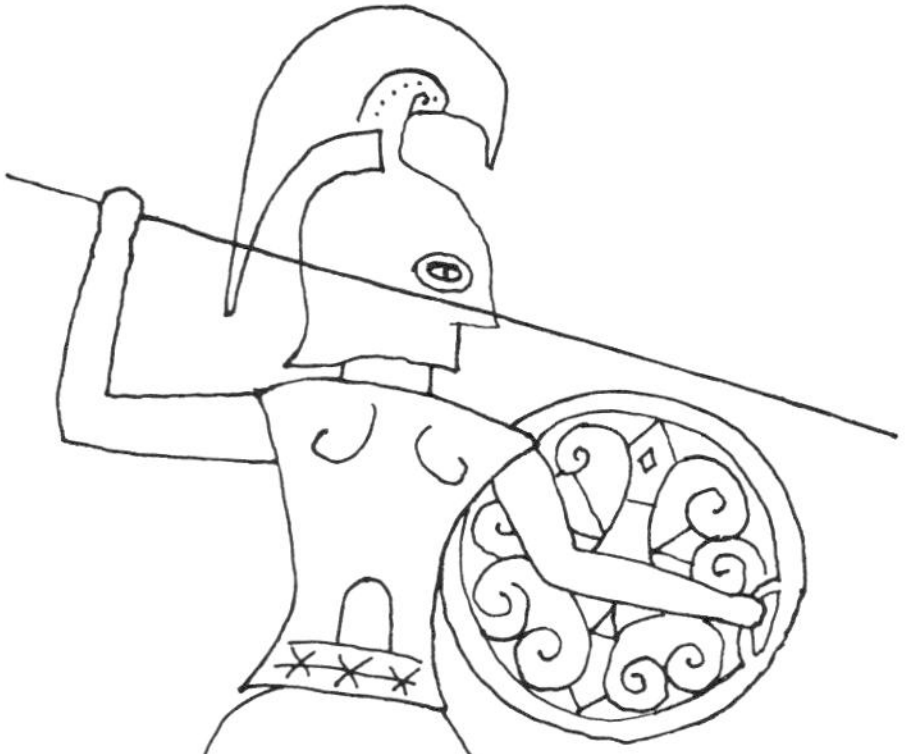

演劇用語に〝三・一致の法則〟と呼ばれる作劇上のルールがある。

このルールは十七世紀のフランスを中心にして、コルネイユ、ラシーヌ、モリエールなどが活躍したいわゆる古典劇の時代にさかんに提唱されたものであり、〝芝居というものは、時の一致、場所の一致、筋の一致を守らなければいけない〟という原則であった。

〝時の一致〟とは、一つの芝居が始まってから終るまで、二十四時間以内の出来事でなければいけない、という内容である。

〝場所の一致〟は、これも芝居が始まってから終るまで、場面は一つの場所でなければいけない、というもので、第一幕は城内の一室、第二幕は戦場、第三幕は町の中などとセットを変えることは好ましくない、という規則であった。

〝筋の一致〟は、前の二つに比べていくぶん内容は曖昧《あいまい》であるが、やさしく言えば、芝居が始まってから終るまで、一つの筋を中心にして、ほかのエピソードなどを交えることなく、大団円に向って水が流れるようにまっすぐに進行しなければいけない、と解釈してよかろう。〝三・一致の法則〟がどんなものであったかを実感するためには、逆に〝三・一致の法則〟を守っていないケースを思い浮かべるほうがわかりやすい。

たとえば大部分の現代劇は、二十四時間以内の出来事ではない。映画でもテレビ・ドラマでも、画面に描かれるのはたいてい数日間あるいは数年間にまたがった出来事であり、発端から結末まで一日で終るというドラマはめずらしい。かつて〝パリの空の下セーヌは流れる〟という名画があったが、これはある朝パリの町角でめぐりあった若い男女が一日のうちに悲劇的結末に陥るといった趣向であり、またゲーリー・クーパーとグレース・ケリイの主演で名高い西部劇〝真昼の決闘〟は結婚式の場面から決闘の場面までわずか数時間の出来事であった。つまり、ドラマの中の時間の短かさが特筆されるほど、こういう設定は今では例外的なことになっている。

〝場所の一致〟は、さらにめずらしい。舞台がただ一つのセットで間に合うのだから、大道具関係の費用は格安ですむだろうが、観客のほうは変化がとぼしくておもしろくない。背景が少しも変らないテレビ・ドラマなど考えることさえむつかしい。ワイド・ショウあたりでも、カメラのアングルを変え、セットを工夫し、視聴者に場所の不一致を感じさせるよう心を配っているはずである。

〝筋の一致〟については、これはほとんどのドラマで遵守《じゅんしゅ》されているけれど、たとえば歌舞伎《かぶき》の〝だんまり〟の場面など思い出していただいたら、いかがであろうか。いつぞや国立劇場で見た〝東海道四谷怪談〟では、隠亡堀《おんぼうぼり》のそらおそろしい場面の次に、場内が急に明るくなり、主演者たちの華やかな踊りが披露される。話の筋とはなんの関係もない踊りが突如始まるのだから、歌舞伎のしきたりを知らない人は、ずいぶんと戸惑うだろうが、慣れた観客はそれほど驚かない。筋は筋、踊りは踊りで別個に楽しんでいる。〝四谷怪談〟についてのみ言えば、お岩さんの役は、主役にはちがいないけれど、この主役は終始一貫醜い姿で現われる。主役の〝いい役者っぷり〟を見に来たお客たちは、こればかりでは我慢ができない。そこで、途中で、お岩さんの役は一休みしてもらい、主演者が華麗な装束をまとい、姿のよさを遺憾なく表出する——と、まあ、私はそう解釈しているのだが、この演出法には一定の意味があったのだろう。

古い時代の芝居では、さまざまな理由から、この手の〝筋と関係ないエピソード〟がドラマの中に混入しているケースが散見され、〝筋の一致〟は、そういう夾雑物《きょうざつぶつ》の挿入を禁止したものであった。

話をフランス古典劇に戻して——〝筋の一致〟はともかく〝時の一致〟や〝場所の一致〟を守らなければならないとなると、芝居作りはずいぶんと窮屈なものになってしまいそうな気がするのだが、当時はなにぶんにも形式美を尊重する時代であり、こういう形式上の規則を厳しく設け、その範囲の中でみごとなドラマを作成することが名人の手腕と考えられていたのである。

同じ古典劇の作者の中でも、喜劇作者のモリエールは、あまり忠実にはこの法則を遵守しなかった。一方、もっともよく守ったのがラシーヌであり、そのラシーヌの作品の中でもとりわけ〝アンドロマク〟は〝三・一致の法則〟に忠実であり、しかも戯曲としても淀《よど》むところのない傑作であった。

ラシーヌの作品にはギリシア神話に題材を得たものがすこぶる多いのだが、〝アンドロマク〟もその一つ、ヒロインのアンドロマケはトロイアの王妃であった。

いや、王妃と呼ぶのは正確ではない、その頃のトロイア王はプリアモス。王妃はヘカベ。二人の第一子で王位継承第一位の位置にあったのがヘクトル。アンドロマケは、そのヘクトルの妻であった。

つまり、アンドロマケは遠からず王妃となることを約束されていた人物であり、プリアモス王が老齢であることを考えれば、その時期もそう遠くはない、と予測されていた。

さて、ヘクトルの実弟にあたるパリスがギリシアから絶世の美女ヘレネを奪って来たことが原因となってトロイア戦争が始まった。

なにしろこの戦争は十年間も続いたので、エピソードも数多い。

しかし、その中の白眉《はくび》と言えば、ヘクトルとアキレウスの決戦、それからもう一つ、例の巨大な木馬の話ではなかろうか。

アキレウスは、アキレス腱《けん》にその名を残しているギリシア方の武将である。彼が生まれたとき母親は、息子が終生不死であるようにと願って、冥府《めいふ》の河で産湯《うぶゆ》を使わせた。この河に身を浸せば不死の肉体を得られると信じられていたからである。

母親は鶏でも吊《つる》すように、赤子の足首を持ってドボンと水の中につけ込んだ。その結果、足首の部分だけが水に触れず、そこだけがアキレウスの弱点となった。アキレス腱の由来はもとよりこのエピソードから来ている。

足首の部分を除けば、体中どこもかしこも不死身である。だから滅法に強い。トロイアに侵攻したギリシア人の中で、アキレウスほど勇猛果敢な武将はほかにいなかった。

性格的には相当に偏屈で、依怙地《いこじ》なタイプだったらしい。怒れば狂暴そのものとなる。腕に自信のある一匹狼《おおかみ》。だが、友情にはあついところもあった。

もともとアキレウスは、トロイア遠征には気が進まなかった。女装をして、迎えの使者たちの眼をごま化そうとしたほどであった。トロイアの戦場でも当初はあまり積極的には戦闘に加わらなかった。

ところが幼いときから兄弟のように親しんで育ったパトロクロスが、トロイアの王子ヘクトルに討たれ、死骸《しがい》にまで辱《はずか》しめを受けたと知って、アキレウスは激昂《げっこう》した。

「おのれ、憎っくきヘクトルめ！」

彼は愛用の槍《やり》を握って、トロイアの城壁へと走った。

その時ヘクトルは城門の外にいた。

城門の中へ逃げ込もうとすれば逃げられたのだが、トロイアの王子はあえてその道を選ばなかった。

アキレウスを討たなければトロイアの勝利はおぼつかない。一門の総帥《そうすい》としてヘクトルはアキレウスと一騎討ちをせねばならない宿命を背負っていた。

古代の英雄たちはみんなそれぞれに優れた腕力を持っていたが、ヘクトルはどちらかと言えば腕力より智力《ちりょく》において秀《ひい》でた人物ではなかったのか。トロイア戦争の緒戦においてトロイア方が優勢だったのは、ヘクトルの作戦の巧みさに負うところが多い。第一線に出て戦うより参謀として指揮をとるほうが得意の武将であったようだ。

アキレウスのほうは、実戦型である。

幼馴染《おさななじ》みの友を殺され、復讐《ふくしゅう》の念ものすごく、髪を振り乱し目を血走らせ、怒声をあげて近づいて来るアキレウスを見てヘクトルは真実身が震えるほど驚いた。ヘクトルもまた人の子、強敵を見ておびえぬはずはなかった。

城壁の上からは、父のプリアモス、母のヘカベ、そして妹のカッサンドラたちが、

「逃げて！　早く城門の中へ」

と叫んでいたが、武将のプライドがそれを許さなかった。

ヘクトルが槍を投げる。

手を離れた槍は狙《ねら》いたがわずアキレウスの胸を撃ったが、次の瞬間、槍の穂先はポロリと折れてしまう。

〝得たり〟とばかりアキレウスは槍を握って突進する。

鎧《よろい》で堅く身を固めたヘクトルであったが、首筋のあたりにわずかばかりのすきまがあった。

アキレウスの槍がそこを貫いた。ヘクトルがどうと倒れる。

女たちの悲鳴。

血潮は矢となって吹き出し、みるみる周囲を濡《ぬ》らす。

ヘクトルは苦しい息の下で訴えた。

「アキレウスよ。私の死骸を犬の餌食《えじき》にしないでくれ。トロイアびとの手に返して、あつく葬《ほうむ》るようにしてくれ。お礼として充分な黄金を差し出そう」と。

だが、アキレウスは肯《がえん》じない。

「パトロクロスを殺した恨みは、忘れようとしても忘れられない。せめてお前の体を八つ裂きにして野犬にでもくれてやらなければ、気がすまない」

残酷なことにかけてはひけを取らない男だった。

ヘクトルの死体のくるぶしに穴をあけ、紐《ひも》を通し、紐の一端を戦車に結びつけた。

それから戦車に飛び乗り、鞭《むち》をふるって馬を駆り立てた。

荒れ果てた戦場に褐色の砂塵《さじん》が舞いあがりそのあとには死体の引く長い筋が残った。

ヘクトルの体はたちまち土にまみれ、長い豊かな毛髪が海のもくずのように乱れた。

妻のアンドロマケが城壁の塔に姿を見せたのは、この時だった。

「…………」

喉《のど》を抜ける声もなかった。

見おろす戦場のあちこちに戦いの残り火がチロチロと燃えていた。荒涼たる砂丘に一筋の跡を残して、夫の骸《むくろ》が遠ざかって行く。

アンドロマケには、その顔が見えるはずもなかった。

しかし、彼女は見た。砂にまみれ、泥によごれ、無念の色を浮かべながら、なおもトロイアの城壁に惜別の視線を投げかけているヘクトルの死顔を……。

ギリシアの陣営に運ばれたヘクトルの死体は野ざらしにされ、辱しめを受け、それを不憫《ふびん》に思ったプリアモス王の願いにより、神々の加護を受けてトロイアに戻されることになるのだが、その経緯についてはここでは省略し、アンドロマケの嘆きをのみ記しておこう。

夫の遺体が返されたとき、妻はすでに腐り始めた胸にすがりつき、頬に頬を寄せて泣き叫んだ。

「ああ、あなたは私と幼い子を残して逝《い》ってしまった。あなたの息子が立派に成人する日を、二人であれほど楽しみにしていたのに……。それももう今となってはかなわぬ夢。だってそうでしょう。この町の守護者であり、だれよりも優しく強く女子どもを守ってくれたあなたが死んでしまったのですから。あなたをなくしては、もうトロイアは滅びるよりほかにありません。私たちは、あなたのかわいい息子も含めてみんなギリシア人に囚《とら》えられ、異国の船につながれてしまうのです。私にはただ絶望があるばかりです」

悲しみのどん底にあるにしては、ずいぶんと理路整然と嘆いたような気もするが、これはアンドロマケの心中をおもんぱかって歌った、ホメロスの創作だろう。

アンドロマケはただおうおうと声をあげて泣き崩れるよりほかになかった。

ついでにもう一言。残酷なるアキレウスはどうなったか。おのれの力以外なにものにも頼らぬこの不遜《ふそん》な一匹狼は、ついに神々の怒りに触れ、パリスに身を変えたアポロンの放つ矢が彼の唯一《ゆいいつ》の弱点である足首を貫く。彼もまた戦場で死すべき運命を背負っていたのであった。

トロイア戦争はこのあともなお続く。

オデュッセウスの提案による有名な木馬が登場するのは、これより先のことだ。だが、そのくだりを飛び越して、ここではしばしアンドロマケの生涯をたどってみよう。

ラシーヌの戯曲〝アンドロマク〟は、トロイア戦争の後日談である。ヒロインの名が（戯曲の題名はそれを取っているのだが）アンドロマクと少し変っているのは、ギリシア名のアンドロマケがフランスへ移って、アンドロマクとなっただけのことで、特別の意味はない。

トロイア戦争はギリシア軍の勝利で幕を閉じ、アンドロマケはヘクトルの死体のかたわらで予言した通り、幼い息子のアスチュアナクスと一緒に囚われの身となった。

戦利品は勝利軍の武将に分割して分け与えられるのが、この時代の戦いのつねである。

アンドロマケとその息子を引き取ったのは、アキレウスの息子ピュロスであった。ピュロスは、もう一つの名をネオプトレモスと言い、ギリシア神話ではむしろこちらの名のほうがしげく用いられているが、ラシーヌの戯曲ではピリュスとなっているので、ここではピュロス王として用いよう。

ピュロスがアンドロマケをもらい受けたのは、ただ偶然に戦利品の分配を受け、その中にアンドロマケが含まれていた、という事情ではあるまい。囚われの身となった大勢のトロイアの女たちを眺めたとき、ピュロスは初めから心中ひそかに期すところがあったにちがいない。

「私はこの女がほしい」

と、みずから積極的に名乗り出て手中に納めたと考えるほうがふさわしい。

彼は一目見たときから、この薄倖《はっこう》の寡婦《かふ》に心を奪われた。

これから先の物語は、原話であるギリシア神話より、愛の情念を描くことでは定評のあるラシーヌの作品のほうが、ずっと克明に描写している。ここではそれを拠《よ》りどころとして話を進めよう。

ピュロスはアンドロマケを戦利品として自分のものとしたが、これを奴隷《どれい》として扱うつもりはなかった。

彼は囚われの身となった女に、

「どうか自分の愛を受け入れてほしい。自分の妻になってほしい」

と、申し込む。

アンドロマケの立場を考えれば、もったいないほどありがたい、破格のプロポーズであった。二つ返事で応じてもいいような好条件であった。

しかし、アンドロマケは首を縦に振らない。

その理由は――彼女はなによりもまず操《みさお》のかたい女であった。夫のヘクトルを心から敬愛していた。そのヘクトルは死んでしまったが、敬慕の心は少しも変っていない。トロイアでは、夫の死を追って彼女もまた冥府までついて行きたい心境であった。

だが、彼女には夫の忘れ形見とも言うべき息子のアスチュアナクスがいる。

「この子を立派に育てあげなくては……」

という、強い意志がかろうじて彼女の命を長らえさせていたのである。

しかも、こともあろうに結婚を申し込んだ相手は敵方の武将である。夫を殺した当のアキレウスの息子である。

そうおめおめとピュロスの愛を受け入れてしまったのでは、〝ヘクトルに対する私の愛はなんだったのだろう〟と、そんな悔恨がいつまでも心をさいなむだろう。

アンドロマケの拒絶にあえばあうほど、ピュロスの恋情はかえって燃えあがる。恋のプロセスには多かれ少なかれ、こういう不可解な力学が作用するものだ。そして彼はアンドロマケに告げる。

「もしあなたが私の愛を受け入れてくれるならば、あなたの子アスチュアナクスを私の子として育てあげ、私の後見のもとに父君にも劣らぬ立派な武将にしてみせよう。しかし、もし、あなたがなおも私の申し出を拒絶するなら、アスチュアナクスの命はないものと考えてほしい。返答をお聞かせ願いたい」

これだけでも充分に一篇のドラマとなりうる情況だが、ラシーヌの想像力はさらに飛翔《ひしょう》する。

ピュロスには昔からの婚約者のヘルミオネがいた。彼女は真実ピュロスを愛している。そのヘルミオネに対して、さらにオレステスという名の勇者が気も狂わんばかりの恋情を抱いている。

つまりオレステスはヘルミオネに片思い、ヘルミオネはピュロスに片思い、ピュロスはアンドロマケに片思い、さながら主人は犬を追い、犬は猫を追い、猫は鼠《ねずみ》を追っているような構図。どなたも自分の恋の獲物にばかり心を奪われていて、自分が愛されていることには関心が薄い。

　これだけの情況を〝三・一致の法則〟の中で表現しようというのだから、劇作者の仕事は楽ではない。しかし、ラシーヌはみごとにやってのけた。

　まず舞台の上に、オレステス、ピュロス、ヘルミオネが次々に登場し、自分がどれほど報いられぬ恋に身を焦《こ》がしているかを観客に訴える。次に、アンドロマケとピュロス、ピュロスとヘルミオネ、ヘルミオネとオレステスの〝振り役、振られ役〟のカップルがそれぞれ現われて、いかに手ひどく肘鉄砲《ひじでっぽう》を食わすか食わされるか、そのさまを演じてみせる。三つの片思いは、容易なことでは解決しそうもない。

　ラシーヌのテーマは、いつも理性ではどうにもならない恋情の激しさを描くことにあった。舞台のあちこちに満たされぬ恋の炎がメラメラと燃えあがり、一触即発の雰囲気を漂わせたままドラマは大団円へ向う。

　ピュロスに〝自分の愛を受け入れるか、それとも子どもの死を選ぶか〟と迫られたアンドロマケは、ついに決心をする。ピュロスの申し出を受け入れようと……。

　しかし、彼女の胸中には策略があった。

　ピュロスと二人で神の祭壇に向い、結婚を誓ったところで自害しよう、と。

ギリシアの英雄たちは、神々への誓いに関してはすこぶる忠実であった。だから、たとえ形式的にせよ、神の祭壇の前で結婚を誓った以上、ピュロスはアンドロマケの夫となったのであり、その息子のアスチュアナクスの養父となる義務を帯びる。そうなったところでアンドロマケが自害すれば、彼女は夫ヘクトルに対する操をかろうじて守ったことになるだろう。それが彼女の策略であった。

ピュロスとアンドロマケの結婚の噂《うわさ》を聞いたヘルミオネは嫉妬《しっと》にわれを失い、自分を恋い慕っているオレステスをそそのかしてピュロスの暗殺を命ずる。

「もしピュロスを殺してくれれば、あなたの愛を受け入れよう」

と、言って。

オレステスは結婚の祭壇のところでピュロスを刺殺するが、今なおピュロスを愛しているヘルミオネは、自分が命じたことであるにもかかわらず、恋しい人を殺したオレステスに激しい非難をあびせながら発狂し、自害する。そして、オレステスの悲嘆のうちに幕がおりる。

舞台中どこもかしこも失恋の悲劇でいっぱい、といった筋立てだが、ラシーヌの筆の確かさが、人間の情念の激しさを訴え、間然するところがない。

アンドロマケはどんな性格の女だったのだろうか？

ギリシア神話では〝この上なく貞淑な女〟とのみ記されているが、それだけではあるまい。

ある研究者が戯曲〝アンドロマク〟の中には、

「寡婦のコケットリイがある」

と指摘したことがあった。

アンドロマケはピュロスの愛を拒否しながらも、その台詞《せりふ》の一つ一つを細かく吟味すると、ピュロスの愛をさらに激しくかきたてるような、そんな媚態《びたい》を巧みに滑り込ませている、というのだ。

故意か、偶然かはわからない。

だが、男である私には、女性のそうした手管がわからぬでもない。そうした仕打ちを受けた記憶がないわけでもない。

女は自分を恋している男に対して、その愛を受け入れるつもりはさらさらないくせに、それでもなおなにほどかの媚態を示すものだ。そこに女の本質的なコケットリイがある。残酷さがある。違うだろうか？

そういう微妙な心理まで鋭く盛り込んでいたとなると、ラシーヌはやはり優れた女性観察者であった。

フランス古典劇が日本で上演される機会は少ない。モリエールはともかくとしても、ラシーヌやコルネイユが上演される例はほとんどない。

私は十年ほど昔、日生劇場の公演で一度だけ〝アンドロマク〟を見た。配役はピュロスに平《ひら》幹二朗、アンドロマケに市原悦子、ヘルミオネに渡辺美佐子《わたなべみさこ》だったように記憶している。

平幹二朗のピュロスはいかにもギリシアの英雄らしく威厳に溢《あふ》れていた。渡辺美佐子も気性の激しい女の役をそこそこに演じていたように思う。しかし市原悦子はミス・キャストの感をまぬがれなかった。

市原さんは大変演技の巧みな女優だが、その魅力はむしろ庶民的な役柄にこそふさわしい。これは私だけの感想かもしれないが……。

話をギリシア神話に戻そう。

実を言えば、ギリシア神話の記述とラシーヌの〝アンドロマク〟とは、少なからず違っている。

神話の中のピュロスはトロイアの城内で、アンドロマケの子アスチュアナクスを殺している。それも幼児を城壁から突き落す、といった残酷な方法で。

アンドロマケを戦利品としてギリシアへ連れ帰ったのはその通りだが、アスチュアナクスがいなくては、戯曲〝アンドロマク〟は成立しない。またギリシアへ帰ったあとでヘルミオネを正式に妻として迎えている。アンドロマケの立場は、ラシーヌの戯曲ほど誇り高いものではなかっただろう。つまり……ギリシア神話の中では、アンドロマケの役割はトロイアの落城とともにほぼ終っているのである。それ以後の物語は、ギリシアの劇作者エウリピデスや、その影響を受けたラシーヌの創造によるところが多い。ラシーヌがフランス宮廷社会の恋愛感情を下敷にして、みずからの想像を一つの戯曲に育てあげたことは言うまでもない。その作品の世界は古代ギリシアより十七世紀のフランスを髣髴《ほうふつ》とさせている。

その他の登場人物についても一言触れておこう。

ヘルミオネは、トロイア戦争の原因となったヘレネの娘である。ヘレネは絶世の美女として物語に登場するのだから、その美女にヘルミオネのような、大きな娘がいたのはちょっと意外な気もする。絶世の美女だから、いくつになってもきれいだった、という理屈も成り立つだろうが。

オレステスは、アンドロマケの物語ではバイプレイヤーの位置に甘んじているが、ギリシア神話の中では主要な人物の一人である。父はアガメムノン。母はクリュタイムネストラ。姉はエレクトラ。クリュタイムネストラは夫がトロイア遠征をしているうちに不倫を働き、帰還した夫を殺した張本人。オレステスは父の復讐《ふくしゅう》のため母を殺す。このエピソードも、後世のさまざまな戯曲、小説の題材となっている。たとえばサルトルの〝蝿《はえ》〟やジロドウの〝エレクトル〟など、舞台でご覧になったかたもおられるのではあるまいか。

オレステスもいろいろなところに登場するので、それぞれの時にいったい何歳くらいだったのか、よくわからないところがある。こういうことが気にかかるのは、私自身が小説家で、いつも作中人物の年齢を考えて筆を執るからだろう。現代の小説では、年齢を抜きにして登場人物を語ることはありえない。

III　貞淑なアルクメネ

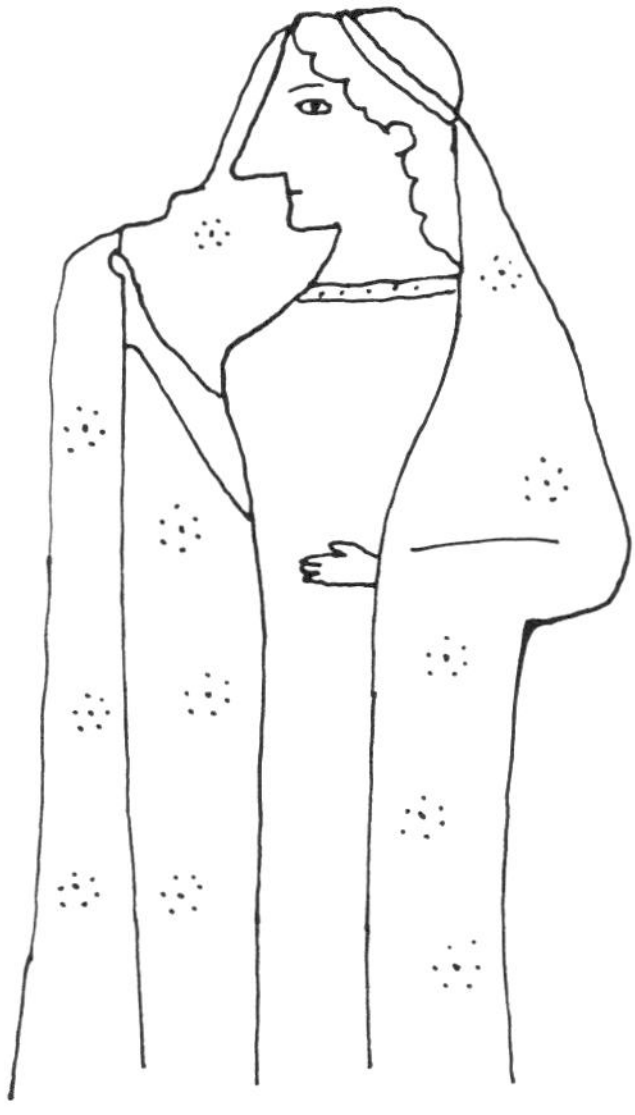

ジャン・ジロドゥの作品に〝アンフィトリオン38〟という戯曲がある。ジロドゥは一九三〇年代から一九四〇年代にかけておおいに人気を集めたフランスの劇作家。日本でもしばしば彼の作品が上演されているから、その華麗なドラマをご覧になったかたもおられるにちがいない。

〝アンフィトリオン38〟はその代表作の一つ。私自身の好みを言えば、ジロドゥの戯曲の中で一番よくできた、一番長く生き残りそうな作品である。

アンフィトリオンはギリシア神話の登場人物。〝38〟という数字は、

「今までにアンフィトリオンを主人公とした作品は数々書かれている。私の戯曲はその三十八番目くらいに当るだろう」

という意味で、作者が命名したものだ。

実際には、それほど根拠のある数ではない。それほど多く書かれているとは思わない。有名な作品ではモリエールの〝アンフィトリオン〟が残っているくらいのものだ。ジロドゥの衒学《げんがく》趣味が現われたものと考えるのが適当であろう。

さて、この章のヒロイン、アルクメネ（フランス名はアルクメーヌ）は、そのアン

フィトリオン（ギリシア名はアムピトリュオン）の妻であった。

性格については、貞淑な女であったという以外これと言って推定できるものはない。アルクメネは夫のアムピトリュオンと仲むつまじく暮していたが、浮気者の大神ゼウスが、この人妻を見てたちまちちょっかいを出してみたくなった。

いつも側用人のごとく従えているヘルメスを呼んで、

「わしはあの女が好きになった。なんとか一夜をともにしたい」

「またですか」

「言うな。わしの性分だから仕方がない。どうしたらいいかな」

「しかし、アルクメネは貞操の堅い人妻です。夫を愛しています。そう簡単には、あなたの意のままに従うとは思えません」

「だからこそ魅力がある。なんとか方便を考えてくれ」

「そうですなあ」

ヘルメスはしばらく思案していたが、すぐに手に持った杖《つえ》で大地をポンと叩《たた》いて、

「いい知恵が浮かびました」

と、言う。

ちなみに言えば、ヘルメスの杖には二匹の蛇が巻きつき、上端に二枚の羽が開いて

いる。現在一橋大学の校章になっているのが、これだ。彼は商業の神であり、またドロボウの守護神でもあった。商売とドロボウは、どこか似通ったところがあるのかもしれない。

横道ついでに、もう一つ、ここでギリシアの神々とローマの神々の名称について、簡単な一覧表を掲げておこう。

ギリシア神話とローマ神話は、本来は別個のものであったが、ローマ文化がギリシア文化の影響を受けて発展しているうちに、この二つの神話は融合し、渾然《こんぜん》一体となり、分かちがたいものとなってしまった。わずかに神々の名前だけにギリシア名とローマ名の区別があるだけ——そう説明しても過言ではあるまい。

そこでギリシアの神々が、ローマの神話でどう呼ばれているか、それを知っておかないと、困惑を覚えることがある。早い話がフランスの物語の中では（もちろんジロドウの戯曲でも）ローマ系の名称を用いるのが普通であり、ジロドウの作品とギリシア神話を結びつけて考えるためにも、相互の関係を知っておく必要がある。

上がギリシア神話の名、下がローマ神話の名、英語やフランス語では、ローマ神話の名を自国語風の読み方で読んで用いている場合が多く、その影響を受けて日本でも、ローマ系の名前のほうが馴染《なじ》みが深いのではあるまいか。

ゼウス　　　　ジュピター
ヘラ　　　　　ジュノウ
アフロディテ　ヴィーナス
アポロン　　　アポロ
アテネ　　　　ミネルヴァ
エロス　　　　キューピィドウ
ヘルメス　　　メルキュリウス
ポセイドン　　ネプチュナス

話をもとに戻して、奸智《かんち》にたけたヘルメスが薄笑いを浮かべながら、

「いい知恵が浮かびました」

と、言えば、ゼウスも膝《ひざ》を打ち、

「うん、なるほど。いつもの手か」

以心伝心でわかってしまう。

「そうです。いかがでしょう」

「よかろう。いかに貞淑なアルクメネでも、その手を使えば、容易に私を迎え入れてくれるだろう」

と、相談がまとまった。

どんな手段であったか？

もし、あなたが女であって、しかも限りなく貞操堅固な人妻であったとして、相手にどういう手段を用いられたら夫以外の男を受け入れるだろうか。

ヒントがないわけでもない。

ゼウスがもう一人の人妻を籠絡《ろうらく》したときのエピソードが残っている。

その女の名はレダ。スパルタ王の妻であった。

彼女の趣味は沐浴《もくよく》。夏の日の午後には、いつも陰影の深い森の泉に赴いて、輝くばかりの裸形を水に沈めていた。

白磁の肌、静脈を浮かせた豊満な乳房。腰は細くくびれ、その下にはすでに女の歓《よろこ》びを知った豊饒《ほうじょう》な隆起と深い亀裂《きれつ》が見え隠れしている。

泉には白鳥が群がっていた。

「さあ、こっちにいらっしゃい」

レダは気軽に声をかけ、この鳥たちにだけは、なんの屈託もなく白い裸形をさらしていたにちがいあるまい。

ゼウスはその白鳥に身を変えて王妃に近づいた。

「あら、どうしたのかしら？　あんなに大きな白鳥が……。いつも見ているのとは違うわ。それに、とても美しい」

レダは独りごちたかもしれない。

手招きをすると、大きな白鳥はゆったりと水をかき、滑るように近づいて来る。

レダは抱き寄せ、その嘴《くちばし》に自分の唇を重ねた。羽毛の感触がここちよい。

「ああ、すてき」

官能の歓びが岸辺に寄せる波のようにひたひたと彼女の全身に押し寄せ、気がついたときにはもう交わりを完成していた。

それがゼウスであった。

レダはこの交合の結果として二つの卵を生む。その一つが絶世の美女ヘレネとなったことは、すでに〝トロイアのカッサンドラ〟の章で述べた通りだ。

以上のエピソードはよほど美術家の創造力を刺激するものらしく、これをテーマにして数々の名画が描かれている。ミケランジェロ、ダ・ヴィンチ、コレッジオ、モローなどなど。

知恵者のヘルメスが思い出したのもこの手口だった。

レダは泉の白鳥を愛していた。白鳥に化けて近づけば簡単にレダと交わることができる。

では、アルクメネの場合はどうか。

彼女はなにを一番愛しているか？

答は明快だ。

アルクメネは貞淑な女である。アルクメネは夫のアムピトリュオンをなによりも愛している。

さすれば、そのアムピトリュオンに身を変えて近づけば、それでよろしい。

ゼウスがおもむろに尋ねた。

「アムピトリュオンは、なにをしている？」

ヘルメスは天界から下界を見おろし、

「ただいま戦いのまっ最中で、家を離れております」

「それは好都合。早速アムピトリュオンに身を変えて、アルクメネの寝室を訪ねよう」

「御意」

アルクメネは夫の突然の帰還に驚いたものの、もとよりこれを拒む理由はない。胸を弾ませベッドで身を開いた。

こうしてゼウスはやすやすと人妻の臥所《ふしど》に忍び込み、目的を達した。この結果として生まれたのが、ギリシア神話の中の最強の英雄ヘラクレスである。ジロドウの〝アンフィトリオン38〟は、その題名が示す通り（と言うより作者の茶目っ気のせいで）三十八番目のアムピトリュオン劇――つまり過去に三十七個同じ題材の作品があった――ということになっている。

著名なものは先にも記した通りモリエールの〝アンフィトリオン〟だけだが、モリエールの作品とジロドウの作品を読み比べてみると、それぞれに時代の背景がうかがわれて興味深い。

モリエールはご存知の通り十七世紀のフランスが生んだ最大の喜劇作家である。〝タルチュフ〟〝人間嫌い〟〝才女気取り〟など、今でも上演され、大衆に親しまれているレパートリイは数多い。

時代的にはフランスの宮廷文化が爛熟《らんじゅく》の花を咲かせた時期に当り、あの太陽王ルイ十四世が権勢並びない力で君臨していた。

アムピトリュオンのテーマは、一見してわかるようにコキュの珍事にほかならない。コキュとは、妻を他人に寝取られた男のことだ。

寝取った男が神々の中の大神ゼウスであるという特殊性はあるにせよ、ここに一人の美しい人妻がいて、夫の留守中にもう一人の男と慇懃《いんぎん》を通じたという骨子に違いはない。

ギリシア神話では、アムピトリュオンは最愛の妻の不貞を知って初めは愕然《がくぜん》とするが、その相手がゼウスであることを知り、むしろ光栄に思う。彼の感情は――ゼウスに対する尊敬の念は、その時に生まれたヘラクレスを熱愛したことからも充分に推察できる。ギリシア神話の常識に従えば、神の不貞は許されるべきものであり、その寵《ちょう》愛《あい》を受けることは、むしろ名誉に値することでもあったのだ。

では、十七世紀のフランスはどうか。

おもしろいことに、神話と似たような事情がフランス宮廷の中でもしばしば起っていたのである。

たとえば、ルイ十四世とモンテスパン夫人の関係。モンテスパン夫人は、夫ある身でありながら国王の妾嬖《しょうへい》となり、子までもうけている。一方、彼女の夫はその代償として侯爵《こうしゃく》に列せられ、妻と国王の関係を積極的に許容していた。

モリエールが果してこのルイ十四世とモンテスパン夫人の関係を阿諛《あゆ》して〝アンフィトリオン〟を書いたのかどうか、このあたりは議論の多いところだが、いずれにせよ往時のフランスの宮廷で、こうした結びつきがけっしてめずらしいものではなかったのは事実である。

モリエールは当時の風俗を、このギリシア的主題の中にふんだんに盛り込み、滑稽《こっけい》なコキュ劇を作りあげ、最後にはどこかルイ十四世みたいな絶対者ジュピテルを登場させ、アンフィトリオンたちを平伏させる情況で幕をおろしている。

ジュピテルがアンフィトリオンに向い、

「お前を欺《だま》した者がだれかよく見るがよい。お前の家に平和と幸福を返してやろう。ジュピテルと一つのものを共有するのは、けっして不名誉ではない。神の王たるものの恋仇《こいがたき》であることは光栄至極ではないか」

と、言えば、アンフィトリオンの従者ソジは小声で、

「ジュピテル様は苦い丸薬を金色にまぶすすべをご存知だ。ジュピテル様は私たちに大変な名誉を与えてくださった。あのかたのご親切はほかに例のないものです。たくさんの福祉を約束してくださった。まあ、しかし、こんな余計な話はやめにして、おとなしくそれぞれの家に引きあげましょう。こうしたことは、いつも沈黙しているのが一番です」

と、囁《ささや》く。

高貴なかたの横恋慕に対しては、しもじもとしては、せいぜいこのくらいの批評を

するのが精いっぱいというものだろう。

ジロドウの〝アンフィトリオン38〟は、ギリシア神話の骨組みをそのまま踏襲しているが、作品の趣きはおおいに異なっている。宮廷社会の風俗を描こうとする気配などあろうはずもなく、ここでは神と人間の対立が――すこぶる喜劇的にではあるが――表面に出てくる。

ゼウスがアムピトリュオンに化けてアルクメネのベッドに忍び込むところは変りがない。

ところが、そのあとで――つまり関係ができたあとで、遅ればせながら、アルクメネは〝ゼウスが夫の姿を借りて忍んで来るらしい〟という情報を手に入れる。貞淑なアルクメネとしては、すわ大変。そこで白鳥のレダに頼み込んで、アルクメネのほうがレダと入れ替る。

そこへ本物のアムピトリュオンが帰って来て、今度はレダと臥所をともにする。人間の〝あさはかな〟策略が裏目に出てしまうという寸法だ。

すべてが終ったあとで、ゼウスが現われ、自分が〝アルクメネと関係を結び、その結果として神の子ヘラクレスが誕生する〟と宣言する。

しかし、アルクメネは、ゼウスが交わったのはレダのほうだと思っているから、この宣言を信じない。

頑迷に神の言葉を拒否するアルクメネに対して、ゼウスは業《ごう》を煮やして、

「強情な女だ。お前の幸福がどんな見せかけの上に組み立てられているものか、お前の操《みさお》がどんな錯誤にもとづいているか、知りたくないのか。本当はこのわしがお前のなんに当るか、そのかわいいお腹《なか》になにが身籠《みごも》っているか、知りたくないのか」

と、迫る。

アルクメネは、それでもなお、

「ノン」

と叫んで、人間の矜持《きょうじ》を守ろうとする。

劇がこのあたりまで進むと、それまでコキュと人違いの喜劇であったものが、にわかに哲学的な様相を帯びて来る。

神が——この世を作った造物主が——どうあろうと、人間は人間の判断に従ってこの世を引き受けて行こう、という強い姿勢がうかがわれる。その判断は、はかない錯誤にしかすぎないかもしれないが、人間はそれを頼りに人間として生き抜くよりほかにないではないか。少なくとも二十世紀はそういう考え方の支配的な時代である。われわれの世紀ではすでに〝神は死んだ〟のである。

モリエールの〝アンフィトリオン〟が十七世紀的であったのと同様に、ジロドウの〝アンフィトリオン38〟は二十世紀的な思想を内蔵するドラマであった。姦通《かんつう》のドラマを夫婦愛のドラマに変え、おもしろおかしい喜劇の中にこれだけの思想を盛り込んだジロドウの手腕は非凡というよりほかにない。私がこの戯曲を第一級の作品と評するゆえんもそこにある。

話を本来のギリシア神話に戻そう。

ゼウスはアルクメネの胎内に自分の子が宿ったと知ったとき、

「この次に生まれるペルセウスの子孫が、ペルセウス一族の支配者となる」

と、宣告した。

ペルセウスは怪物メドゥサを退治したり、鎖につながれたアンドロメダ王女を助けたりしたエピソードで名高い英雄だ。アルクメネがペルセウスの孫娘であることから、ゼウスとしては、アルクメネの胎内に宿った自分の息子ヘラクレスが一門の支配者となることを宣言したつもりだったが、この宣告文は意味がいささか曖昧《あいまい》であった。曖昧であると言うより不充分であった。

かねてよりゼウスの浮気に腹を立てていた妻のヘラは、

「あの人はよほどアルクメネが気に入ったにちがいない。生まれる子どもに、桁《けた》はずれの知力と腕力を与えたのが、そのなによりの証拠だわ。そのうえペルセウス一族の支配者にまでしてやろうとして……。くやしいわ、許せない」

一計を案じ、ヘラクレスの誕生を七日遅らせ、それより先に同じペルセウスの孫に当るエウリュステウスを誕生させた。

ゼウスの宣告は〝この次に生まれるペルセウスの子孫が〟ということだったから、一門の支配者の栄誉はエウリュステウスが担《にな》うこととなった。いったん決定したことはゼウスといえども覆《くつがえ》せないのがギリシア神話の掟《おきて》であった。

このエウリュステウスがそれなりの賢者なら救われたのだが、卑劣で、愚かで、臆《おく》病《びょう》な人物。ギリシア神話きっての英雄ヘラクレスも、この男の命令のままに従わなければならない。

ゼウスの息子である半神ヘラクレスは、人間の臣下となるのをいさぎよしとせず、デルポイの神殿に赴き、自分の運命の不都合を訴えて神託を求めた。

神託は答えて、

「では、エウリュステウス王の命ずる十の仕事を完遂するがよい。その時お前に自由が与えられるであろう」

かくてヘラクレスの苦業が始まる。

エウリュステウス王がヘラクレスに命じた第一の仕事はネメアの獅子《しし》退治。これはネメア地方の鬱蒼《うっそう》たる森に住む獅子の皮を捕って来るという使命である。この獅子は人間の武器ではけっして傷つけることができない。

ヘラクレスは首尾よくこの獅子にめぐりあい、矢を放ったが、もとよりこの武器で射倒すことはできない。格闘のすえ締め殺し、獅子自身の爪《つめ》を使って皮を剝《は》ぎ、持ち帰った。

次の仕事は九つの頭をもつ水蛇ヒュドラ退治。八つの頭は殺すことができるが、まん中の頭は不死である。これも悪戦苦闘のすえ、まん中の頭を切り落し、土の穴に埋めてその上に二度と地上に現われないよう巨大な石を置いて、めでたく征伐を完了した。

三番目の仕事は、黄金の角を持つ牝鹿《めじか》ケリュネイアを生け捕りにすること。ヘラクレスはまる一年間走り続けて、ようやく疲れ果てた鹿を捕らえた。

四番目は、エリュマントスの猪《いのしし》を生け捕りにする仕事で、これも首尾よく果した。

五番目は、うって変って三千頭の牛のいる家畜小屋を一日で掃除する仕事。家畜の糞便《ふんべん》を洗い流すなど、勇者にとっては耐えがたいほど不名誉な労働であったが、ヘラクレスはアルペイオス川とペネイオス川の堤防を切り、水を引き入れていっきに家畜小屋をきれいにしてしまった。

　ヘラクレスの冒険はなおも続く。青銅の翼と青銅の爪を持つ怪鳥を不思議な鳴子を使って退治したり、クレタの猛牛を捕らえたり、人間を食う牝馬《めすうま》を捕らえたり、女人族《アマゾン》たちの村を征服したり、あるいはまた三つの胴、三つの頭、六本の腕、六本の足を持つ巨人ゲリュオンから、その所有する牛を奪ったりして、十の苦業を完了した。

　しかし、卑怯者《ひきょうもの》のエウリュステウス王はその中の二つを認めず、ヘラクレスはさらに新しい苦業を続けねばならなかった。

　その一つは、夜の娘たちへスペリスが魔性の竜といっしょに守っている黄金の林檎《りんご》を奪って来る仕事であり、もう一つは地獄にまで行って冥府《めいふ》の番犬ケルベロスを生け捕りにして帰る仕事であった。

　勇敢なるヘラクレスが、この難業を成し遂げたのは言うまでもない。

　ところで、腹蔵なく言えば、ヘラクレスの十二の冒険は、ギリシア神話で読む限り血湧《わ》き肉おどる物語ではない。素材としてはおもしろいものもあるのだが、全体として文学にまで昇華されていない。

　研究者たちは、古代ギリシアのさまざまな地方に伝承されていたさまざまな英雄譚《たん》が、一人の英雄ヘラクレスの話として集められたものであろう、と推察しているが、それもおおいに頷《うなず》けるところだ。十の苦業がいつのまにか十二に増えてしまったのも、その経緯を反映したものだろう。

ギリシア神話の中にはこうした退屈な部分が（ヘラクレスのエピソードなどはまだましなほうかもしれない）随所に見られるのだが、そういうくだりには深く拘泥《こうでい》するまい。すばらしい物語だけを紹介するのがこの気ままな入門書の目的なのだから……。

十二の苦業を終えたヘラクレスは自由の身となり、不死の資質を与えられ、その後も数々の輝かしい冒険を重ねる。そしてオイネウス王の娘ディアネイラを妻に迎えた。大輪の花のように美しい娘であったが、賢い女であったかどうか。

ある時、ヘラクレスとディアネイラは旅の途中で大河の川岸にたどり着いた。この川には半人半馬の男ネッソスがいて、旅人を肩に担《かつ》いで向う岸に渡していた。大井川の人足みたいなものである。ヘラクレスは自力で川を渡ったが、ディアネイラは半人半馬の力を借りなければならない。

川のまん中まで来たとき、

「あなた、助けて」

ディアネイラが高い悲鳴をあげた。

すでに対岸に渡り着いていたヘラクレスが振り向くと、ネッソスがわが妻に凌辱《りょうじょく》を加えようとしている。

若妻のあまりの美しさに理性が狂ったのだろうか。それともネッソスは時折こんなことをやっていたのだろうか。

もとよりヘラクレスがそれを許すはずがない。あわやの一瞬、矢をつがえてネッソスの背を射抜いた。

ヘラクレスの矢に当ったら生き長らえることはできない。

ネッソスは苦しい息の下でディアネイラに告げた。

「あなたの美しさに目が眩《くら》んで、申し訳ないことをしてしまった。おわびのしるしによいことを教えよう。わたしの傷から出る血を取っておくがよい。この血はご主人の愛をつなぎとめる妙薬だ。ご主人の下着に塗っておけばそれでよい」

ヘラクレスが川中まで妻を助けに来たとき、ディアネイラはすでにその妙薬を数滴しぼり取っていた。

薬を用いる機会は間もなくやって来た。

運命の不思議なめぐりあわせで、ヘラクレスはかつて自分が結婚を申し込んだ娘イオレの父の城を攻め、イオレを捕虜として手中に納めた。

ヘラクレスがこの娘を寵愛《ちょうあい》するのを知って、

——彼が好きなのは私ではなく、あの娘なのかもしれない——

不安がディアネイラの心をさいなんだとき、彼女は血の妙薬を思い出した。

早速夫の下着を取り出して、血の滴《したた》りを塗りつけた。

話は変るが、遺書の研究家の言によると、人は最期《さいご》の瞬間にもけっして正直な告白をしないものだ、と言う。

半人半馬のネッソスもその例に漏れなかった。ネッソスの血の滴りは妙薬どころか、世にも恐ろしい毒薬であった。

妻から贈られた下着をつけたヘラクレスは急に激しい痙攣《けいれん》に襲われ、おびただしい汗を流し、大地をのた打ちまわって苦しんだ。下着を脱ごうとしても、ぴったりと体に貼《は》りついて剝ぐことができない。断末魔の叫びは付近の山を崩し、川を波立たせた。

こうしてヘラクレスは帰らぬ人となり、ディアネイラは自責の念にかられて自害した。

ヘラクレスの母アルクメネは、この後もしばらく生きていたようだ。

卑劣で、執念深いエウリュステウス——ヘラクレスに数々の難題を負わせた、あのエウリュステウス王は、ヘラクレスの死後もなおヘラクレス一族を滅ぼそうとして戦いを挑んだ。

しかし、この戦いはヘラクレス一族の勝利となり、エウリュステウスはアルクメネの前に引き出された。卑劣な男は涙を流し、

「みんな女神のヘラに命じられてやったことだ。わたしの責任ではない」

と、命乞《いのちご》いをしたが、アルクメネは、

「私の息子が味わった数多くの労苦を思えば、あなたを許すわけにはいかない」

と告げた。

エウリュステウスの死にざまは、生きているときよりよほどりっぱであった、と言う。

その後のアルクメネについては、神話はほとんどなにも伝えていない。天界に昇り、ゼウスやアムピトリュオンと一緒に渋茶をすすりながら、

「昔はいろいろありましたわねえ」

などと語っているのかもしれない。

Ⅳ

恋はエロスの戯《たわむ》れ

その夜、キュプロス島の王キニュラスはしたたかに酩酊《めいてい》して館《やかた》に戻った。夜の帷《とばり》はすでに黒々と地上を覆《おお》っていたが、豊年を祝う歌声は風に乗り闇《やみ》を縫い、遠くかすかに流れて来る。

豊作は最大の慶事。島人たちは男も女も子どもまでもが祝い酒に酔いしれていた。ここ数年平和な歳月が続いている。キュプロスを取り囲む諸国の動静もさして変化がない。島の王としては周囲に思い悩むべき不祥事をなにひとつとして持たなかった。

――ただ、あのことが――

かすかな懸念《けねん》が脳裏をかすめたが、王はすぐに首を振った。

――案ずることもあるまい――

たかが家族内の、ささいな心配事にしかすぎない。やがて時間が解決してくれるだろう。

「厭《いや》なものを無理に勧めるつもりはない」

王はみずからに言い聞かせるように独りごちた。

キニュラス王の年齢は四十歳と少し。眼差《まなざ》しの鋭い、厳《いかめ》しい顔立ちながら、ふと微笑《ほほえ》むと急に心の優しさが頬のあたりにほんのりと浮かびあがる。美しい風貌《ふうぼう》は高潔な人柄とあいまって、広く、深く人々に敬愛されていた。

館の中は回廊のそこかしこに暗い松明《たいまつ》が火を燃やしているだけ。寝所に忍び込む光もかすかである。

臥所《ふしど》の上で蠢《うごめ》くものがあった。

王は薄闇を透かし、影に向って呼びかけた。

「来ていたのか」

気配が頷《うなず》き返した。

「何者なのじゃ」

影は答えない。ほの白い裸形が横たわり、女のほのかな体臭が漂うばかりである。

数日前、館の乳母がこの女を連れて来た。

「御前さま、夜伽《よとぎ》をしたいと言う女がおります。ただそのかたはお立場のあるおかたなので、お姿をあらわにすることだけはお許しくださいと、そう申しておられますが
……」

「よかろう」

それも一興だと思った。キュプロス島の王はなにものも恐れる必要がなかった。

女は夜になると黒い衣裳《いしょう》に身を包んでやって来るようになった。姿こそ見えないが、若々しい、滑らかな肌の女——さぞかし美しい娘にちがいあるまい。

そんな夜がもう十二夜も続いている。

「もうほどほどにするがよいぞ」

「…………」

キニュラス王は訝《いぶか》しく思いながらも臥所に身を横たえ、女を抱き寄せた。

女体はすでに熱くたぎっている。稚拙《ちせつ》な動作ながらも必死に身をからめて来る。まだ女の歓《よろこ》びを知っている体ではない。愛のひたむきさだけが女の体を支配しているように思えた。

「なぜこんなことをする？」

王は乳房をまさぐりながら尋ねた。

だが女はそれにも答えず、ただ熱い愛のしぐさに身をゆだねるばかり……。王は引き込まれるように体を重ねた。酔ってはいたが女を抱けぬこともない。彼もまた無言のまま得体の知れぬ相手の中深く体液を吐いた。

交わりのあとで王は〝今夜こそ女の正体を見きわめてやりたい〟と思った。

〝けっして顔を見ない〟という約束であったが、酒の酔いが王の意志を弱めていたのかもしれない。

女が残りの愛に身を漂わせているのを確かめ、王はすばやい動作で身を起すと、回廊の松明へと走った。そして灯を握った。

女もあわてて体を起したが、一瞬遅かった。

王のかかげる光がくっきりと女の顔を照らした。

「…………」

驚きのあまり声もなかった。

そのかたわらを黒い衣裳が翻《ひるがえ》った。

「待て」

影は飛び去り、王は茫然《ぼうぜん》としてそれを見送るばかりだった。

これより先、ピュグマリオンという名の王が象牙《ぞうげ》に刻まれた美しい女体に恋をして、神に祈りつづけた結果、彫像が生身の人間と化し、彼がそれを妻としてめとるという出来事があった。この著名な逸話についてはどなたもなにほどかの知識をお持ちだろう。

キュプロス島の王キニュラスは、このピュグマリオンの孫に当る。彼の容姿の美しさは、おそらく彫像から化身した祖母の血を受けついだものに違いあるまい。

キニュラス王にはミュルラ（スミュルナとも言う）という名の娘があったが、これもまた一門の血筋をついですばらしい美女であった。

美貌の噂《うわさ》はあまねく諸国に広がり、数多《あまた》の王子が、

「ぜひとも私の妻になってほしい」

と申し出たが、ミュルラはいっこうにその気にならない。

「だれかほかに好きな者でもいるのか」

と、父が尋ねても、娘はただ首をうなだれて涙を流すばかりであった。

――なにやら深い悩みがあるらしい――

キニュラス王の心配ごとというのは、これであった。

娘のそばにつかえる乳母に尋ねてみたが、心の秘密はわからない。

とこうするうちに、ある日乳母は恐ろしい場面を目撃した。

ミュルラ姫が館の梁《はり》に縄を仕かけ、みずから首を吊《つ》ろうとしているではないか。

「お嬢さま、なにをなさいます」

乳母は駈《か》け寄って引き止めた。

「なぜこんなことをなさいます。さ、この乳母にだけでもわけをお話しください。きっとお力になってさしあげます」

乳母に懇願され、ミュルラは涙ながらに苦しい胸のうちを告白した。それはどの時代にあっても許されない恋であった……。

すでに賢明な読者はお気づきであろう。

キニュラス王の臥所に十二夜続けて忍び込んで来た女——松明の光の中に浮かんだ顔、それは他《ほか》ならない娘のミュルラだった。

「待て！」

王はほんのいっとき館の黒い闇の中に立ちすくんでいたが、すぐに我を取り戻して娘のあとを追った。手には剣を握り締め、鞘《さや》を抜き払いながら……。怒りと困惑と驚きと、複雑な感情が胸のうちに去来していただろう。国王の立場としては、タブーを犯したものを生かしておくわけにはいかない。見のがしては神々の怒りを買うことにもなろう。しかし、父親の立場としてはどうであったか。

追跡の手段にどこかゆるむところがあったのではなかろうか。

ミュルラは無我夢中で館を飛び出し、ひた走りに夜の闇を走った。無明の夜が彼女を包み、追手の目をさえぎった。

気がつくと、キュプロスの荒野に立っていた。

彼女の胸の中にも悔恨と恐怖とが、逆巻く潮のように押し寄せていただろう。

――もう館へ帰ることはできない――

ミュルラはそれからもただ、ただ歩き続けた。父の住む館を少しでも離れることが、罪をあがなうすべであるかのように。

何度か死を企てたが、死にきれなかった。

どうして？

彼女は女の微妙な直感から知っていたのである。自分がすでに身籠《みごも》っていることを……。

――この子を殺してはいけない。私は罪をおかしたかもしれないが、女として一つの愛に生きた。その心に偽りはない。その結晶をいたずらになきものにしてはいけない――

ミュルラの消息は途絶え、いつしか九カ月の日々が流れた。

たどり着いた土地は、アラビアの南、サバの地であったと言う。

すでに身重のために動くこともできない体になっていた。岩かげにうずくまり、天に手を差して祈った。

「私は許されない罪をおかしました。もとより天界に入る望みは持ちませぬ。どうかこの地の果てで人の世にもよみの国にも属さぬものとして生き続けとうございます」

願いは叶《かな》えられたと言うべきだろう。

祈りを続けるうちに足は土に埋もれて根となり、体はそのまま樹《き》の幹と化し、天に差しのべた手はみるみる強張《こわば》って枝となった。

ミュルラ——英語の辞書を引くと〝没薬《もつやく》の木の樹脂〟となっているが、悲恋の王女が化した樹がこれであることは言うまでもあるまい。

もう一つの古代の物語〝聖書〟の記述ではキリスト生誕の折に東方の三博士がもたらした贈り物の中に没薬が含まれている。現代ではほとんど名も聞かぬ没薬が珍重されたのは、これが防腐剤として役立ったからだ。防腐剤は現代人が考えるよりはるかに貴重品であった。没薬はミイラを作るためにもよく用いられ、ミイラそのものの語源もこのミュルラから来ているという説もある。

話をもとに戻して——ミュルラが化した樹は幹の中ほどに巨大な脹《ふく》らみがあった。すでに出産の日は満ちていた。母なる樹は胎児を産み出そうとして日ごと夜ごとに悶《もだ》え続けた。声は風に呻《うめ》き、幹を濡《ぬ》らすのは雨ばかりではなかった。

出産の女神がそれを知り、あわれに思って幹を切り裂いた。

高い産声《うぶごえ》とともに男子が誕生した。泉のニンフたちが駈け寄って草のしとねに寝かせた。母なる樹は没薬の樹液でわが子を洗った。

こうして誕生したのが、ギリシア神話の中で一番美しい少年アドニスである。これもまた、ピュグマリオン以来の美貌の血のせいであろうか。長ずるにつれ彼の美しさはさらに輝かしいものとなった。

薔薇色《ばらいろ》の肌、風にゆらめく金髪、瞳《ひとみ》は泉の青さを秘めて澄み、均斉のとれた肢体にはひとひらの贅肉《ぜいにく》もない。アドニスと言えば美少年、美少年と言えばアドニス――この結びつきは今でも欧米の社会の言語習慣の中に生きているほどだ。たとえば〝レイモン・ラディゲはアドニスのような少年であった〟などと。

この少年の美しさにいち早く目を留めたのは、美の女神アフロディテであった。オリンポスの神々は男神のみならず女神もまた恋の営みに敏感だったのである。

「まあ、なんて美しい男の子かしら」

女神はたちまち恋の虜《とりこ》となった。

女神がこれほどまで激しい恋に囚《とら》えられたのは、アドニスの美しさのせいだけではない。それは、彼女がアドニスを見つめているとき、息子のエロスの持つ矢が彼女の乳房を傷つけたから……。ローマ神話ではキューピィドウと呼ばれるこの幼な子の神エロスは、手にハート型の金矢を持っていて、この矢で胸を貫かれた者はたちまち深い恋に陥ってしまう。ふとしたあやまちで母の胸に傷をつけてしまったのだが、金の矢の効能には変りがない。アフロディテの心にもめらめらと熱い情念の火が燃えさかった。

思えば不思議なめぐりあわせであった。アドニスの母がかつて不毛の恋の火に身を焼いたと同じように——まるでその報復を受けるかのように女神もまた報われぬ恋情に身を焦《こ》がさなければいけなかった。

なぜならばアドニスはあまりにも若過ぎて、女神の愛を男女の愛として受け入れることができなかったのだから。

彼の興味はもっぱら狩りの楽しみにあった。

女神にはそれが心配でならない。

——あんな恐ろしい野獣と戦って、万一怪我《けが》でもしたら——

こう思うと、もういても立ってもいられない。

「けっして無茶をしちゃあいけないわ。危いときにはすぐに私の名を呼びなさいね」

さながら母親がいたいけな子どもを諭すように戒めていたのだが、若者はどれほど真剣にその言葉を聞いていたのか。

ある日、アドニスは犬を駆って獰猛《どうもう》な猪《いのしし》を一匹木の繁《しげ》みの中に追い込んだ。

「それ、追いつめたぞ」

槍《やり》をかざして一突き……そう身がまえた瞬間、逃げ道を失った大猪は突然向きを変え、アドニス目がけて突進して来た。

「えいっ」

アドニスは土まで届けとばかり槍を突き刺したが、わずかに狙《ねら》いがはずれた。

「しまった」

手負いの猪ほど恐ろしいものはない。

少年は身を翻して逃げようとしたが、野獣のほうがすばやかった。アドニスは切株に足を取られてよろめき、その背中に黄色い牙《きば》がザクリと突き刺さった。どうと血しぶきがあがり、少年の体は宙に舞った。大地に落ちたとたん、また大猪の二本の蛮刀が胸を貫いた。

女神の名を呼ぶゆとりもなかった。

アフロディテは白鳥の牽《ひ》く車駕《しゃが》にまたがり、天空を旅しているさなかであったが、ただならぬ気配を覚えて大地を見おろした。

不吉な様子が山のはざまのあたりから漂って来る。

白鳥を駆り立て、木々の梢《こずえ》をぬって視線をめぐらした。

赤土の上に血に濡れたむくろが一つ……。

「ああ、だれか……。お願い、この人の命を返して」

女神は叫んだ。

ぐずぐずしてはいられない。ふたたび白鳥の車に飛び乗ると、冥界《めいかい》の王のところへ走らせた。

「どうかこの子を生き返らせて。まだこんなに若いのに……」

「それはならぬ」

アフロディテがどう頼んでみても、いったん奪われた命はもう戻らない。

肩を落し悄然《しょうぜん》と立ち去る女神に死の国の王は告げた。

「せめて花の姿に托《たく》して一年のうちの数カ月は地上に甦《よみが》えらせてやろう」

アドニスの血がにじんだ大地の中から細い草の芽が萌《も》えたち、すくすくと茎を伸ばし、やがて真紅の花を咲かせた。

花はアドニスその人のように可憐《かれん》であったが、花弁の命は短く、風《アネモス》の息に吹かれてたちまち散ってしまう。

そのはかない散りざまにちなんで、風《アネモス》の花、つまりアネモネと名づけられた。アフロディテは、少年の短い命をはかなみ、花の行方を追いながら涙ぐんだ。涙もまた花と化し、これは薔薇となった。

アドニスの前に凶暴な猪を送ったのは、狩猟の女神アルテミスだったとも言う。アルテミスとアフロディテはけっして仲むつまじい間がらではなかったから、それもおおいにありうることであった。

永遠に年を取らない幼な子の神エロスは、その姿の通りこの上なく無邪気な神であったが、手に持つ矢はさまざまな悲劇の原因となった。アドニスの話で見たように母のアフロディテにさえ例外ではなかったのだから、私たちが恋に苦しむのは仕方のないことなのかもしれない。ここでもう一つ著名なエピソードを紹介しておこう。

ある日のこと、オリンポスの山のどこかでアポロンがエロスに出あった。

アポロンは弓を取ってはだれにもひけを取らない手腕の持ち主だから、エロスがちっぽけな弓矢を抱えているのを見てからかいたくなった。

「なんだ、この悪戯坊主《いたずらぼうず》め。いっぱしに弓なんか持って、危いじゃないか。なにが射《う》てるんだ。ほら、あそこに野兎《のうさぎ》がいるけれど、みごと射てたらご喝采《かっさい》だ」

エロスはかわいい目つきではすかいに眺めあげて、

「おじさん、ボクの弓矢はそんなんじゃないんだ。おじさんだってこの矢に当ったらイチコロだよ」

「ふん、そんな玩具《おもちゃ》の矢なんか、当ったところで痛くもかゆくもない」

「気をつけたほうがいいよ。油断しているとプチュンと射ち込むよ」

「ああ、いいとも」

アポロンのほうはすぐに忘れてしまったが、エロスはよく覚えていた。パルナソスの山頂に戻ると背中の箙《えびら》から二本の矢を取り出し、四方を見廻した。一本は金の鏃《やじり》。一本は鉛の鏃。金の矢に当った者は恋にこがれ、鉛の矢に当った者は、どう愛されても相手がいっこうに好きになれない。

金の矢を弓につがえてヒュッと放つと、これはアポロンの胸に命中した。鉛の矢はかすかな音を残して地上に落ち、河の神ペーネイオスの娘ダフネの白い乳房の下に当った。

まだ年若いダフネは、色恋などには興味が薄かった。野山を散策して草花をつんだり、鳥の声に耳を傾けたり、時には野兎や鹿《しか》を追ったり、一人気ままに時間をつぶすのが、この少女の日ごとの楽しみであった。

長い髪を一本のバンドで無造作に束ね、羊飼いの短い衣裳《いしょう》をやわらかくまとっている。その薄衣《うすぎぬ》の下からまっすぐな脚が若草の茎のように伸びていた。

彼女自身は自分の美しさを少しも意識していなかったが、男たちは見損わない。

「ぜひとも私の妻にほしい」

そんな申し込みが跡を絶たなかった。

父親のペーネイオスもこよなくこの娘を愛していた。

「どうじゃ、結婚の申し出が来ているが……」

と言えば、ダフネは顔の色を耳まで染めてかぶりを振るばかり。

「お父さま、私は男のかたなんか大嫌い。いつまでも清い体のままでお父さまの近くにいたいわ。アルテミスの女神さまにもお約束したことですもの」

「そうか、そうか、急ぐこともあるまい」

父は眼を細めて、娘の心の向くままにゆだねていた。

そんなダフネに鉛の矢が的中したのだから気持ちは一層かたくなになってしまう。

一方、アポロンは金の矢を射たれて、恋心はいよいよ燃えさかる。ダフネを見るたびに激しい胸の疼《うず》きを覚える。

「なんと美しい娘だろう。なんとしなやかな体だろう。ああ、あの娘がほしい。あの胸を抱き締めたい」

目醒《めざ》めている時は日がな一日ダフネの姿を追い求めていた。夜ともなれば、夢の中に清楚《せいそ》な娘の姿が浮かびあがる。

こうなるともうほかのことにはなにも手がつかない。

ダフネの散策の道すじに待ち伏せて、

「もし……」

と、声をかけるが、ダフネのほうは見向きもせずにクルリと背を向けて逃げ出す。神々の中でも際立《きわだ》って凜々《りり》しい風貌《ふうぼう》のこの神も、少女の眼にはただのみすぼらしい下僕風情《ふぜい》にしか映らなかった。

そういう仕打ちにあえばあうほどせつない恋心は募るもの。それが恋愛の力学だ。もうとても我慢ができない。

「よし、今日こそは」

いつものように野辺の小径《こみち》をめぐり歩くダフネを認めて、アポロンは疾風のごとく追いすがった。

「ダフネよ。振り返ってよく見るがよい。私はオリンポスの神々の一人、大勢の娘たちに慕われている、あのアポロンなのだ。けっしてお前に危害を加えるつもりはない。どうしてそんなに私を厭《いと》うのだ。まるで狼《おおかみ》を恐れる小羊のように……」

やさしく呼びかけたが、ダフネは耳を傾けようともしない。アポロンの姿を見たとたん駿馬《しゅんめ》の足を駆って逃げ出した。

「待ってくれ。どうして私をそんなに嫌うんだ。お前を追っているのがだれか、ただの一度でもよい、振り返って見つめてくれ。私はデルポイの郷《さと》の主、竪琴《たてごと》を弾いてはだれも並ぶ者とてないアポロンだ。歌声はニンフたちの心をとろかす、あのアポロンだ。それだけではない。病める人々はこぞって私の加護を求める。オリンポスの神々の中で悪《あ》しき病いから人々を救えるのは、この私だけなのだ。お前の愛を求めている者の姿をしかと確かめるがよい」

声は乙女の耳にまで届いているのだろうが、いっこうに効果を現わさない。ただひたすら逃げるばかりだ。

その疾駆するさまが、また美しい。

しなやかに躍動する白い腿《もも》。亜麻色の髪は陽にきらめき風になびいて流れた。

アポロンは声を鎖《とざ》した。

必死の叫びもけっしてダフネの速度をゆるめない。かくなるうえはアポロンも力の限り追いかけるよりほかにない。

しばらくの間は追う者と追われる者のレースが続いた。ダフネは恐怖の翼に乗り、アポロンは恋の翼に乗って……。

しかし、乙女の足は神の追跡に及ばない。間隙《かんげき》は次第にせばまり、アポロンの吐く息が少女の髪に届いた。伸ばす手が肩にかかった。

ダフネは絶望の息で叫んだ。

「お父さま、助けて。私はいつまでも清らかな体でいたいの。たとえどのような物に姿を変えようとも……」

河の神ペーネイオスはこの願いを聞きつけた。

ダフネの叫びが口もとから消えるか消えないうちに激しい痺《しび》れが彼女の足を捕らえた。全身の肌が急速に強張《こわば》り、褐色の粗い樹皮となった。風になびいていた髪はたちまち緑の葉と化し、天に向って差し伸べられた腕はそのまま木の枝と変った。今しがたまであれほど速く走っていた脚も大地に張りつき、みるみる地中にめり込んで根を張った。

アポロンは愕然《がくぜん》として眼を見張った。

彼が捕らえたもの、しかと抱き寄せたもの、それは一瞬のうちにダフネから一本の月桂樹《げっけいじゅ》に変っていた。

なんたることか。

あれほどまで恋いこがれ、だれよりも深く愛した女だったのに……。

三日三晩アポロンはダフネの樹《き》の下にうずくまって泣き続けた。

だが、ダフネはけっして甦えってくれない。

捨て場のない悲しみにかられて木の幹を抱き締めれば、枝はしない、樹皮はちぢみ、今なおアポロンの抱擁をのがれようとしているふうであった。

アポロンは月桂樹の枝を切り、それを輪に作って冠とした。

「愛するダフネよ。お前は私の妻にはなってくれなかったね。だが、私はお前のことを忘れられない。その愛の証《あか》しにこうしてお前の枝で冠を作り、いつまでも私のそばに置いておこう。そればかりではない。戦場で、あるいは競技場で、すばらしい勲《いさお》しをたてた若者には、きっとお前の枝を与えて頭を飾らせよう」

こう告げて木のもとを立ち去った。

彫刻などで見るアポロンの頭に木の枝が巻きついているのは、言うまでもなくこのダフネの枝である。

また古代オリンピックでは勝者の頭に月桂樹の冠が与えられたが、これもまたこの故事にちなんだものである。

アポロンがダフネを捕らえた瞬間の光景は、数々の絵画や彫刻の題材となっている。その中でも一きわ印象深いのは、十七世紀イタリアの彫刻家ベルニーニの刻んだ大理石の石像であろうか。ローマのボルゲーゼ美術館所蔵。残念ながら私は実物を見たことがない。

美術画集の写真を眺めても、なかば樹木と化したダフネ、茫然《ぼうぜん》として手を伸ばすアポロン――一瞬の臨場感が躍動する二つの彫像のそこかしこに深い、不思議な妖《あや》しさをかもし出している。いかにも乙女らしいダフネの肉体。とりわけ硬質な感触を伝える乳房のふくらみ。指先はすでに木の枝と化し、脚は太い幹となって大地に根を張りかけている。

私がダフネの物語に強く心を引かれるのはおそらくこの彫像のイメージが脳裏にあるからだろう。

アポロンがその後エロスに出会ったときどんな苦情を言ったか、少なくとももう二度と小さな弓矢をからかいはしなかっただろう。

V

オイディプスの血

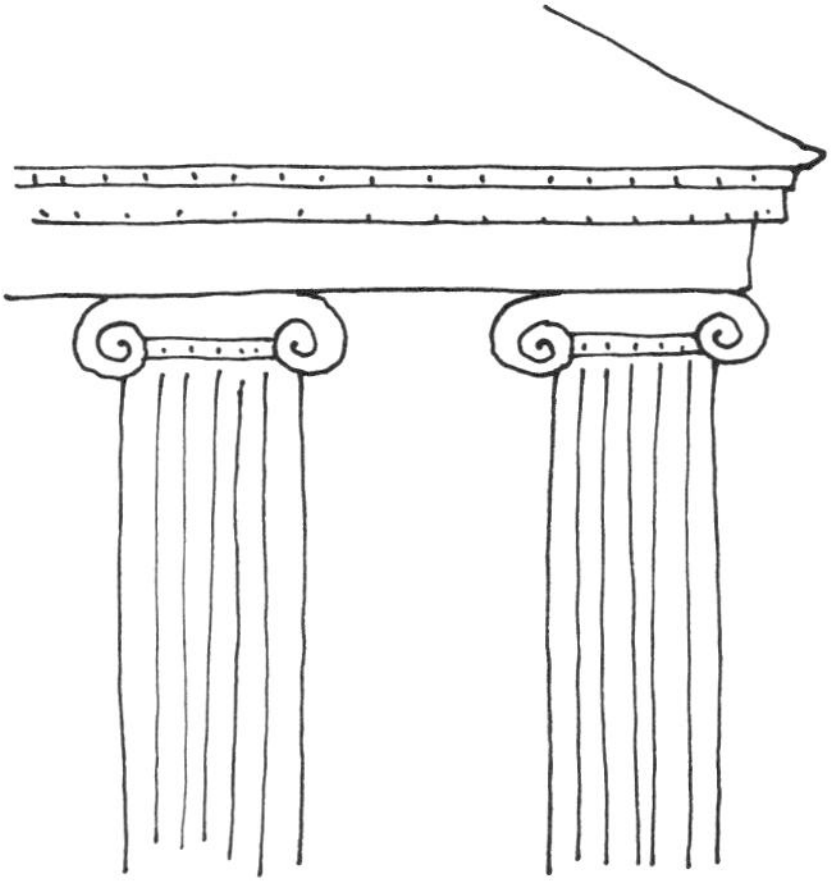

学生の頃――と言うのは昭和三十四、五年だったと思うのだが、日比谷の野外公会堂でソフォクレスの〝オイディプス王〟を見た。東京大学のギリシア研究会の主催で〝本邦初めての本格的野外ギリシア劇公演〟という触れ込みであった。

まだうすら寒い季節で、城門の衛兵を演ずる男が、始めから終りまで身動きひとつせず丸裸で鬼のように立っていたのが奇妙になまなましく記憶に残っている。寒かっただろうなあ。

その他の記憶はだいぶぼやけてしまったが、コロスの扱いかたがとても新鮮だった。コロスは合唱隊とも訳し、コーラスの語源ともなった演劇用語だが、いわゆる合唱隊とは少し違っている。ギリシア劇特有の演技者群で、その数は十数人。たいていは円型の舞台とそれを囲む観客席との間の階段のあたりに位置して動いていたらしい。

もちろん歌も歌うのだが、時には劇中の群衆といっしょになって演技をしたり、また時には、観客の代表者となって、悲劇的な事件が舞台の上で起きたときなどは一斉に「ああ」と叫んで悲嘆の仕ぐさを示す。喜びの場面になれば立ち上って歓喜乱舞する。舞台の雰囲気を盛り上げる脇役《わきやく》的集団であった。

こうした演技者群はギリシア劇以降ほとんど姿を消してしまったが、私は一つの演出法として充分に蘇生《そせい》させてよいものだと思った。

話を本題に移して――〝オイディプス王〟は、ソフォクレスの最高傑作であるのみならず、古代ギリシア悲劇の代表作である。題材は、これもギリシア神話の中の著名な物語、オイディプスのエピソードをなぞったものである。

この物語はあまりにも有名過ぎて、ここで紹介するのはいささか気が引けるのだが、ギリシア神話を語る以上、これを素通りするわけにはいかない。原話とソフォクレスの悲劇と、それから私自身の想像とを混ぜ合わせ、一通りの粗筋を追ってみよう。

舞台はテーバイの国。テーバイは現在のアテネの北方にあり、西に嶮《けわ》しい地峡を距《へだ》ててコリントスの国があった。

テーバイの国王ライオスは、かねてより〝男児を得るときは、その子が父を殺すだろう〟という神託を得ていた。そこで王は妻のイオカステとの同衾《どうきん》を避けていたのだが、ある夜酒に酔い、妻と交わり、その結果として男児が誕生した。これがオイディプスである。

話は早速横道にそれるが、つい先日渡辺淳一《わたなべじゅんいち》氏の〝酔いどれ天使〟なる短篇を読んでいたところ、男が酩酊《めいてい》して女と交わり、その子が生まれたときには〝酩酊児〟という一種劣性の子が誕生する場合がある、と記してあった。医学者の渡辺さんがおっしゃることだから、充分に根拠があるにちがいない。

オイディプスが酩酊児であったかどうかはわからないが、病的に激しやすい性格であったのは本当だ。もっとも父のライオス王にも同じ性格がうかがわれるから、単なる遺伝のせいかもしれないが……。

ともあれライオス王は男児の誕生に怖《おそ》れおののき、後の禍根を絶つべく家臣に命じてその子を西のコリントスとの国境に近い山中に捨てさせた。

その家臣は、いたいけな幼児を殺すに忍びず山中で出会った牧人に委《ゆだ》ねた。幼児は牧人の手を経てコリントス王ポリュボスの宮殿に運ばれ、たまたまこの王に子どもがなかったため、実子として育てられる運命を担《にな》った。

雄々しい若者に成長したオイディプスは、あるとき「お前は継子《ままこ》だ」という噂《うわさ》を聞き、不安になってアポロンの神託を求めた。

すると神託はその質問には答えず「故郷に帰ってはならぬ。お前は父を殺し、母を娶《めと》るであろう」と告げる。

「なんと？　このオレが慈愛溢《あふ》れる父を殺し、母と交わる、と……？　そんな馬鹿《ばか》な」

訝《いぶか》しく思ったが、アポロンの神託には絶対の権威があった。

悩みに悩んだオイディプスはおのれの宿命を避けるべく、故郷へ戻る道とは反対の、テーバイへ行く道を取った。父母のもとを離れ、放浪の旅に出れば、災難を避けられると考えたのだ。

この途中、彼は山峡の三叉路《さんさろ》で馬車に乗った老人に出会う。

「若僧そこをどけ」

「いや、ご老体、この道に先に踏み入れたのは私のほうだ。そっちこそ私が通るまで待つがよかろう」

「ほざくな」

狭い道なのでどちらかが譲らなければ埒《らち》があかない。言い争いが激しくなり、老人が鞭《むち》でオイディプスの顔を打った。

「なにをする！」

若者は激怒し、まず馭者《ぎょしゃ》を打ちのめし老人を馬車ごと谷底へ突き落した。

この老人がオイディプスの父にしてテーバイの王ライオスその人であったことは、すでにご推察の通りである。オイディプスはかくて神託の予言通り〝父を殺す〟のだが、もちろん彼自身はその事実を知らなかった。ただ、行きずりの、無礼な老人に制裁を加えただけ、そう思っていたことだろう。ライオスの従者は——馭者を含めて五人いたらしいが、少なくともそのうちの一人は悶着《もんちゃく》が始まったとたんに逃げ出し、遠くから事の成行きを眺めていたのではないか。この男が、馬車の谷底に落ちるのを見て、いち早くテーバイに戻って王の死を伝えた。またもう一人はオイディプスの顔を見たものの深い傷を負い、しばらくは生死の境をさまよっていたにちがいない。この男が事件の目撃者として大衆の前に現われるのは、もっと後のことだ。

ところで、ライオス王はなんの目的でこの山峡に馬車を走らせていたのだろうか。ギリシア神話ではピュティアの神託所へ赴く途中であった、と記されているが、本当にそうだったのだろうか。少しばかり辻褄《つじつま》のあわないところがある。

疑問の理由はあとで示すが、私の推測では——推理作家の途方もないイマジネーションを駆使すれば——王の用向きはおそらくあまりかんばしいものではなかっただろう。たとえば田中角栄氏が丸紅の某氏と面談するような用件、あるいはまた妻にそむいて恋人に逢《あ》いに行く道すがら——いずれにせよ、ライオス王にとっても事態はあまり愉快な情況ではなく、心は苛立《いらだ》ち、常にも増して怒りやすい状態にあったのではないか。旅の若者との口論がエキサイトした理由もそこにあった……。

私としてはむしろ秘密の逢引き説を採りたい。従者の数が少なかったのも、若者に対して「われこそテーバイの王であるぞ」と名のらなかったのも、そのためである。さらにこの後ライオスの妻イオカステは、王がいつ、どこで、どのように殺害されたか、当然ある程度の報告を、逃げて来た馭者から受けていたであろうにもかかわらず、ほとんどだれにも（とりわけ第二の夫となったオイディプスに）語らない。それは、この事件の詳細を人に語りたくない、現実的なあるいは心理的な理由があったと考えるほうが自然である。私がライオス王の不貞の逢引きなどを持ち出すゆえんはそこにある。イオカステは先王の人柄を傷つけないよう——つまらぬ話をすれば、その可能性もあったので、沈黙を守ったのではなかろうか。

「ライオス王は旅の若者に殺されたの。あなたがテーバイに来る直前のことだったわ」

と、寝物語にでも話していたら、オイディプスは当然自分の殺人を思い出したはずではないか。

話をギリシア神話に戻して、テーバイに入ったオイディプスは、そこで住民を苦しめていたインテリ怪獣スピンクスと対決する。この怪獣は顔は人間の女、胴体はライオン、そして鳥の翼を持つ。エジプトのスフィンクスとは、発生は同じものだが、形態は少し違っている。スピンクスは、さながら二十世紀の日本の受験地獄からタイム・マシンに乗って舞い戻ったように、人々に難問を出題し、それに答えられなければ食い殺してしまう、という奇妙な癖を持っていた。

オイディプスに対しても、

「朝は四本足、昼は二本足、夜は三本足、それは何か」

と問いかける。オイディプスは、

「それは人間。幼い時は四本足で這《は》い、長じては二本足で歩き、老いては杖《つえ》をつく」

と答えた。

正解を出されたスピンクスは悲観して自殺してしまう。すこぶるヘンテコな怪獣であった。

住民を悩ましていた怪獣を退治したオイディプスはその栄誉によりテーバイの国王として迎えられ、王妃イオカステを妻として娶る。イオカステは実はオイディプスの実母なのだから、ここでもまた神託はそのまま実現されてしまう。

オイディプスは立派な青年に育っていたのだからその母イオカステは相当な年齢に達していたに違いないのだが、すでに何度か指摘したようにギリシア神話では登場人物の年齢は、あまり拘泥《こうでい》しないのが暗黙の了解事項だ。

やがてオイディプスとイオカステの間には、二人の息子ポリュネイケスとエテオクレス、そして二人の娘アンティゴネとイスメネが生まれた。

オイディプスが王位に君臨してしばらくたつとテーバイには凶作、悪疫《あくえき》の流行など、惨事が次々に起る。神意を伺うと、

「先王を殺し、人倫にもとる行為を犯した者がいる。その者を捜し出し、国外に追放しなければ神の怒りはけっして静まらない」

と、出た。

オイディプスは、そこであらためて先王殺しの下手人を見つけ出そうと困難な調査を始めるが、その結果、自分自身が犯人であり、しかも〝父を殺し、母を娶る〟という大罪を犯していたことを知る。赤子のオイディプスをコリントスの牧人に渡した男や、あの殺人現場を目撃した馭者が現われて、歴史的な証言をするのは、この時である。

自分の罪に驚いたオイディプスは両眼をつぶし、盲人となって放浪の旅に出る。イオカステは自害し、盲目の父の手を引いて諸国の旅に同行したのは、心のやさしい娘アンティゴネであった。

以上が名高いオイディプス王の物語のあらましである。

このエピソードから、これまた著名な心理学用語〝エディプス・コンプレックス〟

を創造したのは精神病理学者ジグムント・フロイトであった。

エディプスはオイディプスの英語国風の呼び名。そしてコンプレックスというのは、人間が自分では意識できない、潜在的な心理傾向を言う。

オイディプスは父を殺し、母を娶った。これと同様に、人間の男子はだれしも幼い時期に父を憎み母に愛情を覚える心理傾向を持っている。これがフロイトの言うエディプス・コンプレックスだ。

そう言われてみると、かなり多くの男性が、自分も幼い頃にそんな感情を持っていたことに思い当るのではあるまいか。母の胸に抱かれて育った少年は、その母に対して愛情を持つのは当然であり、少し成長するに及んで、その母の周辺に父というライバルが存在していることに気づく。そして知らず知らずのうちに父に対して憎しみと対抗心を抱く。すべての男子がエディプス・コンプレックスを抱くとは言いきれないが、充分に普遍的な心理として納得できるのではなかろうか。

エディプス・コンプレックスが、すこぶる的確な、そしてわかりやすい心理学用語であったため、精神科学の世界では次々に類似の用語が発案された。エレクトラ・コンプレックス、ユディット・コンプレックス、ディアナ・コンプレックス、メサイア・コンプレックスなどなどである。

ここではこれらの用語の基となった物語をいちいち解説するゆとりはないが、エレクトラ・コンプレックスは同じくギリシア神話の登場人物エレクトラから由来するもので、これはエディプス・コンプレックスとは反対に、娘が父親に愛情を感じ、母親に敵愾心《てきがいしん》を持つという潜在的心理傾向を言う。ユディットは旧約聖書の登場人物で、彼女は力強い男に自分の操《みさお》を捧《ささ》げたいと思いながら、いったんそんな男に貞操を奪われると、その男を憎んで殺してしまう。若い女性は強い男に操を奪われたいと思っていながら、そうした男にある種の憎しみを抱くという矛盾した心理傾向を持っていることが多く、これがユディット・コンプレックスだ。またディアナはギリシア神話に現われる男装の女神で、女子が自分も力強い男であったならと願う潜在的願望がディアナ・コンプレックス。そしてメサイア・コンプレックスは自分が救いの手を差し伸べなければ、周囲の人たちがみんな駄目になってしまうのではないかと思ってハラハラする、おせっかい精神を言う。いずれも身辺に散見される心理傾向ではないか。

そう言えば、私は以前知り合いのイギリス人学者からカメリア・コンプレックスという用語を聞かされたことがある。

カメリアは椿《つばき》の花であり、この場合はアレクサンドル・小デューマの傑作〝椿姫〟がその出典だ。あの作品の主人公アルマン・デュヴァルは、売春婦の椿姫と知り合い彼女を苦界から救い出そうとして献身的な愛情を注ぐ。男性には、賤業《せんぎょう》に身を沈めている美女を見ると、相手の意志や育ちに関係なく彼女を救い出してやろうという、一種の義俠心《ぎきょうしん》めいた余計なおせっかいの心理が蠢《うごめ》くものであり、イギリス人学者はその傾向を指してカメリア・コンプレックスと言ったのであった。

これも思い当らないでもない。そうした心理を扱った小説も無数にある。

しかし、今調べてみると、カメリア・コンプレックスはどの精神科学の辞典にも見当らない。私の知人の創造した用語だったのかもしれない。これもまたエディプス・コンプレックスに負けず劣らず巧みな命名のように私には思われるのだが……。

それはともかく、こうした精神分析の用語ひとつを例にとってみても、私はギリシア神話と聖書の二つを古典として持っているヨーロッパ文明の、奥行きの深さ、バラエティの華麗さを思わずにはいられない。自国の文化を過小評価するつもりは私にはいささかもないけれど、民族の古典の中に寓意《ぐうい》に富んだ人物、事件、思考を持っているという点では、やはり、彼《か》の国の文化の中に一日《いちじつ》の長を見ないわけにはいかない。私がギリシア神話に興味を抱く理由もまたそこにあるのだろう。

ところで、第三章で二十世紀前半に活躍したフランスの劇作家ジャン・ジロドウを紹介した。ジロドウは古典を素材にして——十七世紀のフランス古典劇あるいはさらに古いローマ劇、ギリシア劇などをパロディ化して――現代の華麗なドラマを創造するのが巧みな劇作家であった。

ついでに、ここでパロディという言葉の意味を少し説明しておこう。広辞苑《こうじえん》を引くと〝文学作品の一形式。有名な文学作品の文体や韻律を模し、全く反する内容を読み込んで滑稽化《こっけいか》・諷刺化《ふうしか》した文学〟となっている。これがパロディの本来の意味である。

たとえば〝山里は冬ぞ寂しさまさりける人めも草もかれぬと思へば〟という、百人一首でおなじみの源宗于《むねゆき》の和歌があるのに対して〝山里は冬ぞ寂しさまさりけるやっぱり町はにぎやかでよい〟という狂歌を作るのがパロディである。芥川龍之介《あくたがわりゅうのすけ》が今昔物語の説話を題材にして〝鼻〟や〝芋粥《いもがゆ》〟などを書いたのも、広い意味でのパロディと言ってよかろう。

もっと卑俗な例をあげれば、ツービートなる流行の漫才師が〝手を上げて横断歩道で死んでいた〟と言うのも〝手を上げて横断歩道を渡ろうよ〟のパロディであり、またもう一つ、ドリフターズの志村　某《なにがし》が〝カラスなぜ鳴くの。カラスの勝手でしょ〟と歌うのも名高い童謡のパロディである。

話題を演劇に戻して――フランス演劇は過去に優れた古典劇の作品群を持ち、文化の伝統としてもギリシア・ローマの影響を色濃く受け継いでいるので、現代の劇作家もこうした古典を題材にしてそれをパロディ化し、一つの枠《わく》の中で自分の演劇を展開する傾向を根強く持っている。いや、傾向を持っていると言うより、一つや二つ、そうした作品を作ってみたいと思うものらしい。サルトルや、カミュにもそんなところがあった。

ジロドウのあとを追って華々しく登場したのがジャン・アヌイである。この劇作家もわが国で人気を集めているから、レパートリイの一つ二つをご覧になった方も少なからずおられるだろう。彼もまたギリシア神話を素材とした作品を書いている。それを紹介するならば——

幕があくと、ほとんど装置のない、殺風景な舞台。登場人物が全員暗い舞台にうずくまって、おしゃべりをしたり、編物をしたり、トランプをしたりしている。舞台廻しの男が進み出てスポット・ライトの中で語り始める。

「ご覧の通りです。この人物たちが、これから皆様がたにアンチゴーヌの物語を演じてご覧に入れるわけです。アンチゴーヌというのは、あそこに黙りこくって坐《すわ》っている、あの痩《や》せた少女です。まっすぐに前を見つめています。考えているのです。彼女はまもなくアンチゴーヌになろうとしている……」

こんな印象的な語りで始まるドラマ〝アンチゴーヌ〟は、疑いなくアヌイの傑作の一つであった。

アンチゴーヌ（ギリシア名はアンティゴネだが）は先にも述べたようにオイディプスの娘である。盲目のオイディプスが放浪の旅に出たとき、その手を引いて案内役を務めたのが、この心のやさしい娘だった。

オイディプスが国を出たのち、弟のクレオンがしばらく摂政《せっしょう》を務め、やがてオイディプスの二人の息子ポリュネイケスとエテオクレスが成長し一年おきに交互に国を治めることになった。

ところが弟のエテオクレスは交替の時期が来ても兄に席を譲らず、これを国外に追放した。ポリュネイケスは忿懣《ふんまん》やるかたなく西の国アルゴスに逃れ、アルゴス王の娘と結ばれた。そして、ある日、

「お義父《ちち》上様、私の祖国では弟が不当に国を治めております。これを征伐しなければ、大義が立ちません。ぜひともお力をお貸しください」

と訴え、遠征軍を組織してテーバイに攻め込んだ。

テーバイの城には七つの城門があり、アルゴスからの遠征軍は七人の英雄を選んでそれぞれの門を攻略させた。一方、テーバイのほうも七人の将を選んでその防備に当

らせた。

その一つの門で、計らずもポリュネイケスとエテオクレス、二人の兄弟が対峙《たいじ》した。戦乱は錯綜《さくそう》し、ついに兄弟の決闘となり、弟は兄の腹を貫き、兄は弟の胸を刺し、ともに血しぶきをあげて絶命した。

兄弟が死んでしまっては戦争の本来の原因がなくなってしまう。アルゴスからの遠征軍は戦意を失い、テーバイの軍勢に追われて退散した。あとには死骸《しがい》の山と戦乱の余燼《よじん》が残るのみ……。

エテオクレスの死と同時に実質的にテーバイの支配者となったクレオンは、テーバイ方の兵士の死骸のみを集めて、手厚く葬《ほうむ》らせた。そしてアルゴス方の死者は、甥《おい》のポリュネイケスの遺体も含めて、

「けっして葬ってはならぬ、鳥や犬の餌食《えじき》とすべし。この禁を犯すものは死罪に処す」

と命じた。

だが、ただ一人敢然とこの命令に背く者があった。アンティゴネである。彼女はオイディプスの死後、テーバイに戻り、兄たちの争いを苦々しい思いで眺めていたのである。

「城壁の外に兄さんの死体が……ポリュネイケスの死体が野ざらしになっています。鳥に突つかれ、犬に食われ、無惨《むざん》に朽ち始めています。ああ、かわいそうな兄さん。もう死体となってしまっては、なんの罪もないというのに」

アンティゴネは衛兵の眼を盗んで三たび兄の死骸に土をかけ、捕らえられる。

クレオンの狼狽《ろうばい》はひとしおであった。

自分の厳命を破った者が、ほかならない姪《めい》のアンティゴネであったとは。しかも彼女はクレオンの息子の許婚者《いいなずけ》でもあったのだ。

「愚かな娘よ。なぜあのような振舞いに出たのじゃ」

クレオンの詰問《きつもん》に対してアンティゴネは答える。

「私は叔父様の命令は破りました。しかし、もっと尊い神々の掟《おきて》を犯してはおりません。兄弟の愛、死者への敬い、もっと大きな永遠の掟に従ったまでのことです。罰したいのなら、どうぞ罰してください。愚かな人は、叔父様、あなたのほうです」

ここで引き退《さが》ってはクレオンの面子《メンツ》が立たない。支配者としてしめしがつかない。押し問答のすえアンティゴネは地下の墓場に生きたまま埋められてしまう。

王女の身に生まれながら、かつては父のオイディプスとともに放浪の旅に立ち、今度はクレオンの命に逆らって死を選んだ女、アンティゴネは、おのれの志に忠実な、しかし、まことに頑固な性格であったにちがいない。

このエピソードは充分に文学者の関心をそそるものらしく、古代ギリシアのソフォクレスも悲劇〝アンティゴネ〟を書いている。

この作品では、神話の中でアンティゴネが叫んでいるように〝兄弟愛、死者への敬い〟といった普遍的なモラルが力強く訴えられ、クレオンが神の罰を受ける形で終っている。月並みと言えば、月並みな扱い方だ。

だが二十世紀のアヌイは、同じモラルを強調しただけでは商売にならない。古い革袋に新しい酒を入れなければ意味がない。

アヌイの〝アンチゴーヌ〟は筋立ての乏しいドラマである。物語はギリシア神話そのままにクレオンが死体の埋葬を禁じ、アンチゴーヌがその禁を犯して土をかけ、捕らえられて死罪を命じられる。アンチゴーヌの死を嘆いて許婚者のエモン（クレオンの息子）が自害し、そのエモンの死を悲しんでクレオンの妻も自殺する。それだけのことだ。

白眉《はくび》はむしろクレオンとアンチゴーヌの対話の中にこそある。

白水社版の〝アヌイ作品集〟第三巻の巻末の解説で、芥川比呂志《あくたがわひろし》氏が、

「〝アンチゴーヌ〟は人間的苦悩を抱きながら独裁者となり、現実生活の維持につと

めるクレオンと、政治の桎梏《しっこく》下に飽くまで自己の実存を守ろうとするアンチゴーヌの対立の劇である」

と、述べておられるが、まさしくその通りであろう。

アヌイの中のアンチゴーヌはクレオンに対して――ひいてはこの人間社会そのものに対して、「ノン」と言い続けるために存在する。

この「ノン」は、否定の理由をたやすく説明できるしろものではない。

あえて説明するならば――人間の社会が続いて行くためには、クレオンが説くような良識ある秩序が必要なのは本当だろう。アヌイの描くクレオンは、古い神話やソフォクレスのドラマに見られるような〝悪い〟統治者ではない。浮世の常識に従えば、充分に納得の行く為政者だ。しかし人間社会が本源的に矛盾を含んだものであるならば、どこかでつねに「ノン」と叫び続ける者がいなくてはならない。それがアンチゴーヌの役割であった。

かたくなに「ノン」と叫び続ける理由がなんなのか、アンチゴーヌ自身さえわからない。もとより古典的な兄弟愛や死者への敬いからではない。彼女はただ「ノン」と叫ぶことを役割としてこの世に現われ、その役割を全うして死んで行く。

それがアヌイの戯曲の変らぬテーマであり、実存主義文学の特質であった。人間存在に対する、理由の説明できない疑問符を投げかけること、それがアヌイのモチーフだった――そう表現したらいくらかご理解いただけるだろうか。

先にも述べたようにヨーロッパ文芸の奥行きは深い。その遠い源流にギリシア神話がある。二十世紀の文芸を理解するためにもギリシア神話への配慮が必要だ。オイディプスからアンティゴネまで、血なまぐさい一連のエピソードがいろいろな姿に形を変えて現代に生きている。私はそのことを大急ぎで説明したのである。

VI

闇《やみ》のエウリュディケ

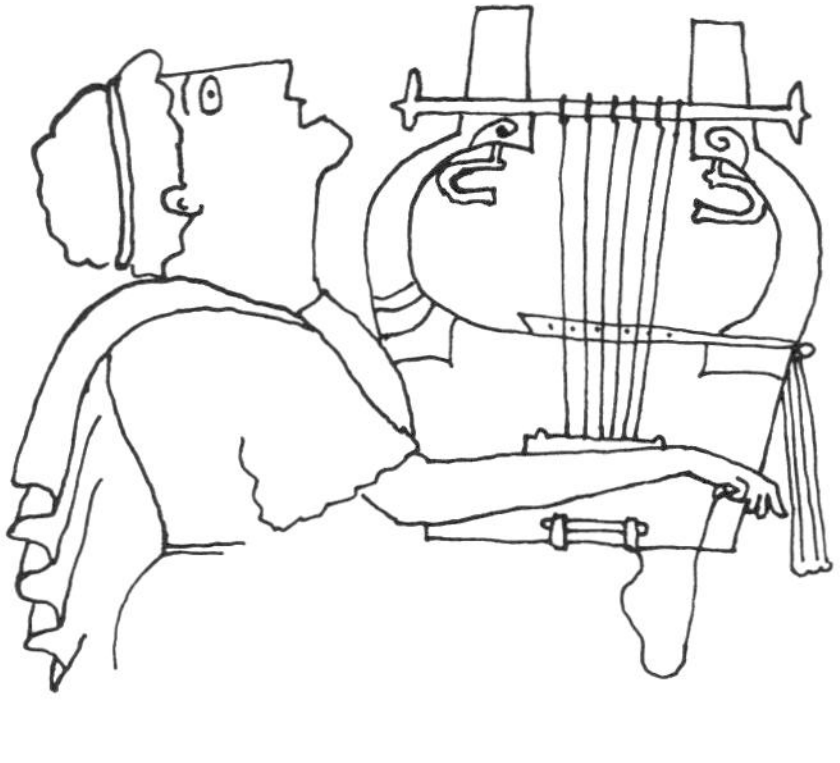

〝黒いオルフェ〟という映画があった。マルセル・カミュ監督。一九五九年カンヌ映画祭グラン・プリ受賞作品。

この映画についての記憶はなくても、テーマ曲となった〝カルナヴァルの朝〟はどなたも一度は聞いたことがあるのではなかろうか。

私の家にはジョーン・バエズの歌うレコードが一枚あって、今もこの原稿を書きながら聞いている。細く、悲しく、だが厳《おごそ》かなまでに美しいメロディである。

私自身も映画そのものの印象は、熱狂的なカーニバルの風景を除いて断片的にしか心に残っていないのだが、古いパンフレットを頼りに物語を追ってみよう。

舞台はブラジルの都リオ・デ・ジャネイロ。街はカーニバルの準備に沸き立っている。

田舎から初めてこの町にやって来た若い娘ユリディスは、興奮する町の様子に眼を見張った。彼女の行先は従姉《いとこ》の家。無気味な男の影につきまとわれているユリディスは、その恐怖からのがれるためにこの歓喜の町にやって来たのだった。

彼女が乗った市電を運転していたのが、この映画のもう一人の主人公オルフェだった。二人は顔を見合わせ、一瞬にして熱いものを感じ合う。

オルフェには許婚者《いいなずけ》のミラがいたが、彼はこの結婚をそれほど望んでいない。彼の趣味はギターを弾きながら歌を唄《うた》うこと。近所の子どもたちは、オルフェの奏《かな》でる楽の音が太陽を昇らせるのだと堅く信じていた。

偶然にもユリディスが身を寄せた従姉の家は、オルフェの家の隣家だった。ふたたび顔を合わせた二人は、さらに激しい慕情を感じて手を重ね合う。生まれる前からそうなることが決まっていたような、そんなめぐりあいであった。

街ではすでに明日のパレードの練習が始まっていて、ユリディスもオルフェといっしょにその群に加わって踊り狂う。

無気味な男の影が現われたのは、その時だった。ユリディスは恐怖におののき、気を失う。オルフェは彼女を抱きかかえ自分の家に連れ帰ってやさしく介抱をしてやった。

そしてカーニバルの当日。サンバのリズムが街を揺り動かし、群衆はわれを忘れて乱舞する。夜に入って興奮はさらに激しさの度合いを増した。ユリディスも観衆の中に佇《たたず》んで華麗なパレードを眺めていたが、突然血相を変えて逃げ出す。人の群の中に、あの男が、無気味な死の仮面の男が彼女を捜して立っていたのだ。

逃げるユリディス。追う死の仮面。オルフェも異変に気づいてユリディスのあとを追った。

喧騒《けんそう》の町も一歩大通りを離れてしまえば、人気ない、暗黒の田舎町だ。歓喜と背中合わせに存在する無明の世界。ユリディスは市電の車庫に逃げ込み、高圧線の電線を伝って死の仮面をのがれようとするが、その瞬間火花が散り、彼女は地上に倒れ落ちる。駈《か》け寄ったオルフェも死の仮面の一撃にあい、気を失ってしまう。

オルフェが意識を取り戻したときには、ユリディスの姿はなかった。彼はユリディスの死を信じられない。警察へ行ってもなんの手掛りも見つからなかった。

万策つきたオルフェは霊媒師の家を訪ねた。闇《やみ》の中から愛《いと》しいユリディスの声が聞こえて来る。

「オルフェ、懐《なつか》しいオルフェ。でもこっちを見ては駄目。永遠に会えなくなるわ」

たまらなくなったオルフェがその言葉にそむいて顔を向けると、そこには醜い霊媒師の老婆《ろうば》がうずくまっているばかりだった。

オルフェが最後にたどりついたのは死体安置所だった。

彼はそこで生けるがごとく眠っているユリディスにめぐりあい、その死体を抱きかかえてわが家へ戻った。

カーニバルの夜は終り、静かな朝が近づいていた。丘の上に立つと今しも太陽が昇ろうとしている。断崖《だんがい》のふちでオルフェはよろめき、ユリディスを抱いたまま転落。サボテンの茂みの中に死の国ですみかを見出《みいだ》した二人の死体が横たわっていた……。以上が〝黒いオルフェ〟の粗筋だが、あの映画を見終ったとき、釈然としない気分を味わった人も多かったのではなかろうか。

たしかにカーニバルの情景はすばらしかった。スクリーンの中から熱気が溢《あふ》れ出し、汗の匂《にお》いさえも漂うほどの、みごとなカメラ・ワークだった。音楽も心に響くものがあった。血潮の中にサンバが脈打っているような子どもたちの身振りも印象に残った。丘の上から眺める熱帯の太陽も美しかった。

だが、物語は……？　どうも合点のいかない部分があったのではないか。なによりもまず、あの死の仮面の男はなんだったのか。なぜあの男はユリディスを追いかけたのか。一方なぜユリディスは必死に逃げなければいけなかったのか。一番肝腎《かんじん》な部分については、なんの説明もなかったじゃないか。

ユリディスとオルフェが一目で深く愛し合ったのも、絶対にありえないこととは言わないが、相当に現実離れしているし、オルフェが死体置き場からユリディスを持ち帰るのだって、法治国家ではそう簡単には運ぶまい。犯人の捜査はどうなっているんだ、と、そんな散文的な苦情を言ってみたくなる。

だが、言うまでもなく、こうした非難はあの映画の場合にはあまり適当ではない。

つまり〝黒いオルフェ〟は、ギリシア神話の中のエピソードをリオのカーニバルを舞台にして再現したものであり、どれほど現実的なカメラ・ワークを駆使していても、物語の骨格は人間の運命を抽象化した、超現実的な神話そのものだったのである。

そのテーマは喜びの絶頂の背後に忍び寄る死の恐怖。あるいは人間の愛と死とのかかわりあいなのであって、一つの哲学を具体的に表現するために、それぞれの人物がそれぞれの役割を委《ゆだ》ねられただけのことだ。

オルフェとユリディスは深く愛し合うように役割を与えられているのであり、そこにはなぜ、どのようにして愛し合うかというテーマは少しも必要ではない。また死の仮面は、なんの理由もなくユリディスに死をもたらすものとして登場すれば、それでいいのであって、なぜ殺さなければいけないかという疑問もここでは意味がない。

神話は、深く愛し合っている者にあえて死の別離を与えるという、そうした事象だけを語りたかったのであり、それを通して繁栄と背中合わせに存在する暗黒を人間たちに伝えようとしたのであろう。また〝黒いオルフェ〟の演出者マルセル・カミュは、カーニバルの熱狂的な歓喜と、その裏通りに潜む静寂の無気味さとの対比を見て創作欲をそそられ、古典的な神話をそこに作りあげようと企てたのであろう。

だから、この映画を正当に、納得のいくものとして賞味するためには、そもそもその根底にあるギリシア神話がどんなものであったのか、オルフェとユリディスの原話を一通り知っておかなければ不充分なのである。

ギリシア神話ではオルフェはオルペウス、ユリディスはエウリュディケと呼ばれている。

オルペウスは竪琴《たてごと》の名手であり、また巧みな歌い手でもあった。その歌声には神々も妖精《ようせい》も野獣も、魂を持たぬ自然界の樹木や岩石までもが感動せずにはいられなかった。

彼は森の木の妖精エウリュディケと深く愛し合い結婚をしたが、幸福の時はあまりにもはかなかった。婚礼の歌がまだ消え去らぬうちに死が美しい花嫁を奪い去った。エウリュディケは毒蛇に足を嚙《か》まれて、またたくまに死んでしまったのである。

オルペウスの悲しみはたとえようもなかった。悲嘆の歌は四方に溢れ、野も山も泣き叫んだ。鳥たちは声をからし、花々は花弁の涙を落した。

「エウリュディケ、エウリュディケ、お前はどこへ行ってしまったのだ」

諦《あきら》めきれないオルペウスは、身の毛もよだつ黄泉《よみ》の国まで行き、冥府《めいふ》の王に哀願してエウリュディケを返してもらおうと決心した。

ペロポネソス半島が地中海に足を突き出すその最南端にタイナロン岬がある。このあたりの岩陵は洞穴が多く、そこから地界への道が通じていると考えられていた。オルペウスは冥府の門をくぐり抜け、漆黒の隧道《ずいどう》を下り、地界の王ハデスの館《やかた》を取り囲む五つの川のどれかを渡って死者の地へたどりついたことだろう。周囲には実体のない蒸気のような亡者《もうじゃ》たちがゆらゆらとゆらめき動いている。魂を凍らすほどの冷たさ、無明の闇、声こそ聞こえなかったが、漂う空気にはなにやら名状しがたい怨嗟《えんさ》の気配が立ち籠《こも》っている。

彼はなおも奥深く進んだ。最深部はタルタロスと呼ばれる地域で、地上の極悪人たち、たとえばシシュポス、タンタロス、イクシオンなどが、無限に続く刑罰を受けているところだ。

どうして生身のオルペウスがここまで降り進むことができたのか。

それは彼の奏でる竪琴と彼の唄う歌声が冥府の番人たちを感動させたからにほかならない。地獄の番犬ケルベロスも、美しい音色に魅せられて凶暴な唸《うな》り声を発するのを忘れたほどであった。

オルペウスはハデスの前に進み出て、

「どうか私の妻を地上に戻してください」

と、涙ながらに願い出た。

冥府の王もその妻ペルセポネも、オルペウスの歌におおいに心を動かされていたから、

「よかろう。特別のはからいで返してやろう。だが、よいな、太陽の光を仰ぐその時までけっして汝《なんじ》の妻のほうへ振り返ってはいけないぞ。これが掟《おきて》じゃ」

そう告げて、エウリュディケの手をオルペウスに握らせた。

オルペウスの喜びはどれほどであったか。

彼は妻の手を引いて冥府の道を引き返した。

だが道のりは長い。周囲は墨のごとき闇。心細さが少しずつ胸のうちに募って来る。

本当にうしろからついて来るのは、エウリュディケなのだろうか。

もしやハデスが欺《だま》したのではあるまいか。

ああ、妻の手の感触はなんと頼りないのだろう。なんと冷たいのだろう。どんな姿でいるのだろうか。さぞかし痩《や》せ衰えて情けない様子になっていることだろう。

疑念はあやしい雲のように彼の心に湧《わ》き立ち、なつかしさがひしひしと胸を締めつけた。

彼は耳を澄ました。

せめてエウリュディケのため息くらい聞こえないものか。せめて衣《きぬ》ずれの音だけでも聞こえないものか。

だが、それもない。

「エウリュディケ」

呼んでみても返事はない。

不安は極限にまで達した。一目妻の姿を見たいという願望が彼の理性を狂わせた。もう我慢できない。

オルペウスはちらりと振り向いた。

エウリュディケはそこにいた。

だが、彼が一瞬垣間《かいま》見たものは、妻のこの上なく悲しげな表情であった。たちまち姿は薄くなり、ふらふらと地の底へ落ちて行く。

「待ってくれ。エウリュディケ。待ってくれ」

オルペウスは必死に腕を伸ばして、落ちて行く妻の手を求めたが、なんの甲斐《かい》もなかった。

「さよなら。オルペウス」

悲痛な声は次第にかぼそくなり、闇の底に消えてしまった。

オルペウスは悲嘆と驚愕《きょうがく》のあまりしばらくは立ちすくんでいたが、もう一度気を取り戻して地の底へ向った。

「頼む。川を渡らせてくれ」

冥府の川の渡し守に頼んだが、今度は応じてくれない。オルペウスは川のほとりに腰を落し、七日七晩飲みもせず食べもせずに泣き続けた。黄泉の国は寂《せき》として答えるものもない。神々のあわれみを得られず彼は仕方なくトラキア地方の深い山の奥にまで赴いて姿を隠した。

ただ妻の面影だけを求めて来る日も来る日も時を潰《つぶ》したことだろう。日ごと夜ごとに歌を唄い、竪琴を奏で、美しい調べを亡《な》き妻に捧《ささ》げたことだろう。

妻以外の女など眼中になかった。

歌声に引かれてオルペウスの気を引こうとする娘やニンフたちもいたが、オルペウスの仕打ちはつれなかった。

トラキアの女たちは、この女嫌いの男をこころよしとせず、ディオニュソスの祭の夜に酒に酔い、その勢いで、

「あそこに私たちを馬鹿《ばか》にした男がいる。許せないわ」

口々に罵《ののし》って石を投げつけた。

多勢に無勢、相手が女でもとても抗し得るものではない。それともオルペウスはもう生きることに飽きていたのかもしれない。

一つの石が彼のこめかみに命中し、彼は倒れた。魂はすぐさま彼の体を離れ、まっしぐらに冥府への道を下った。今度は渡し守も舟を出してくれたにちがいない。オルペウスは地の底でふたたびエウリュディケとめぐりあい、そこに念願の愛の巣を作ったことだろう。

地上に残されたオルペウスの死体は、狂暴な女たちの手で八つ裂きにされたが、首と竪琴とは付近を流れるヘブロス川が拾いあげ、海へ流し、やがてレスボスの島にまで運ばれて、この地で手あつく葬《ほうむ》られたと言う。この島がその後すばらしい詩人と歌手とを輩出したのは、オルペウスの恩返しだったのかもしれない。夜鶯《よるうぐいす》でさえ他の島の鳥たちよりずっと美しい声で鳴くと言うではないか。

以上がオルペウスとエウリュディケの物語である。

〝黒いオルフェ〟と逐一対比して考える楽しさは読者諸賢の手に委ねよう。

ところで、私たちはこの神話からなにを汲《く》み取ったらいいのだろうか。

もとよりギリシア神話はいつもなにか教訓的な示唆《しさ》を私たちに与えようと意図して

そこに存在しているわけではない。すべての神話と同様に自然に発生し、一つの物語として淘汰《とうた》されて今日に伝えられたものだ。

しかし、オルペウスとエウリュディケのエピソードには、どこか哲学的とも言ってよいような世界観が漂っている。少なくとも私にはそう感じられる。

歓喜の中に忍び寄る死の気配――これは生きとし生けるものの宿命でもある。花は今を盛りと咲き誇っているときに死が始まっている。人の一生にもいつもそんな不安がつきまとっている。

と言うより人は身近に迫っているにちがいない衰退を恐れるあまり、狂喜に身を委ねることがあるのではないのか。ここにオルペウスの物語とリオのカーニバルとの接点がある。

カーニバルの熱狂は、生命感溢れる人間の讃歌《さんか》にほかならないが、その燃焼が激しければ激しいほどどこかむなしいところがある。命あるもののひとときの狂乱、そんな印象がなくもない。オルペウスの物語の再現の場として、この行事を選んだ映画製作者の感覚にはまことに鋭いものがあった、と私は思う。オルペウスもカーニバルも繁栄のすぐ隣に空虚なものの影を宿しているところに共通なものがあるのではないか。

もう一つ、オルペウスがあの地獄からの帰り道で背後を振り向いたことにも、なにか寓意《ぐうい》がありそうだ。

日本の神話でもイザナギが同じ誤りを犯している。最愛の妻イザナミを失ったイザナギは黄泉の国までイザナミを取り戻しに行く。

「少しお待ちください。でも、待っているあいだにけっしてこの部屋の中を見てはいけませんよ」

と、言われたにもかかわらず、イザナギは櫛《くし》の歯に火をともして死者のすみかを覗《のぞ》いてしまう。

そこに見たものは、醜い死者の相を備えたイザナミであった。禁を犯したために妻を地上に迎え戻すことができなかったのはオルペウスと同様である。

このくだりには、生きている者はけっして死者の実相を見てはならない、というタブーが感じられる。そして、さらに言えば、死んだ者を生き返らせる道は、実相を知ることではなく、暗黒の中でイマジネーションを働かせることにこそある、といった教訓を汲み取ることができるだろう。

オルペウスの悲劇はそのイマジネーションだけでは満足できなかったことに由来しているのであり、イザナギの場合も変りない。言うまでもなく死者を生きた者として呼び戻す手段は、こうしたイマジネーションに満足するよりほかにない。現にこの方法は最愛の人に死なれたとき、私たちが日ごろ実践していることではないか。

オルペウスとエウリュディケのエピソードは美しい夫婦愛の物語にはちがいないが、以上のように考えてみると、それを越えるものを――生と死の寓話を内包しているような気がしてならない。

話のついでにギリシア神話における黄泉の国の様相についても少し触れておこう。

タイナロン岬周辺の洞穴から地下に下り、五つの川を渡ったあたりが、死者の国であることはすでに述べた。この川にはそれぞれ名前がついていて、ステュクス川（憎《ぞう》悪《お》の川）、アケロン川（悲嘆の川）、コキュトス川（号泣の川）、レテ川（忘却の川）、ピュリプレゲトン川（火炎の川）である。

冥府の門口には猛犬ケルベロスがいて、頭が三つ、尾は蛇、首筋にも何匹もの蛇がいて、口からは火を吐くと想像されていた。

地獄の一番奥深いところは、これもすでに述べた通りタルタロスという地域で、ここには主として神々を冒瀆《ぼうとく》した重罪人が幽閉されていた。

シシュポスはゼウスの秘事をあばいたという、あまり明確ではない理由によってここに送られたのであったが、その刑罰は山に大きな岩石を押しあげ、頂上まで届くとその石は転げ落ち、またそれを押し上げなければいけない。永遠にこの無償の努力を繰り返すのが彼の受けた罰であった。

フランスの作家アルベール・カミュがこの逸話をもとにして哲学的エッセイ〝シシュポスの神話〟を書いたのは、ご存知のかたも多いだろう。

カミュの哲学を簡単に要約するのはむつかしいが、あえてそれをおこなうならば、カミュは従来の神話では無償の労苦と考えられていたシシュポスの行為を肯定的なものとして捉《とら》え、

〝人間のおこないはどれもこれも突きつめて考えればシシュポスの行為同様に無償のものではないか。その無償性に向って無償と知りつつ努力を続けることが人間の尊厳さを保つことだ〟

と、解明したわけである。

平たく言えば、この世界は矛盾だらけに作られている。そうである以上、人間のやることなんか、どれが善でどれが悪かわからない。どの道シシュポスが岩を山へ運ぶのと同様に意味のないことだ。ただ、その努力そのものの中に人間の価値がある、と、まあ、こう言いきっても当らずとも遠くはあるまい。

無間《むけん》地獄に送られたもう一人の罪人にタンタロスがいて、この男は神々の知恵を試そうとしてわが子を殺し、動物の肉だと偽って食べさせようとしたため、地獄の底に

つながれることとなった。その刑罰は、水中に腰まで埋められ、頭上の果実を取ろうとすれば枝が遠ざかり、足下の水を飲もうとすれば水が引いてしまう。目の前に食物や水を見ながら永遠の飢えと渇きに苦しまなければいけない、というものであった。

これは想像するだにつらいことだろう。

この故事からタンタロス状態というイデオムが生まれた。眼の前にほしいものがふんだんにありながら、けっしてそれを得ることができない、といったふうな飢餓感を言う。

私たちが銀座通りを歩きながらウインドウ・ショッピングをするときは、いくらかこの状態に近い。俗謡のパロディを作れば、

タン、タン、タンタロスの状態は、

金もないのにブーラブラ

といったところか。

ほかに無間地獄の住人を挙げれば、イクシオンはゼウスの妻ヘラを犯そうとした罪によりこの地に送られ、その罰として車に手足を縛りつけられ、車は永遠の回転運動を続けている。またオクノスはどういう罪を犯したのか定かではないが、地獄の底で縄をなうことを命じられ、しかし、いくら縄を編んでもかたわらにいる牝驢馬《めすろば》が片は

しからそれを食べてしまう、といった情況に置かれている。

最後に冥界《めいかい》の王ハデスとその妻についても触れておこう。

太古この世界が作られたとき、世界は三つに分けられ、地上の支配はゼウスに、海の支配はポセイドンに、地下の支配はハデスにそれぞれ委《ゆだ》ねられた。この三人は兄弟である。

ハデスは地底の国を統治していたが、ある時自分もぽつぽつ妻をめとらなければなるまいと思い、兄のゼウスに相談した。

ゼウスは答えて、

「ペルセポネがいい。あれよりほかにお前にふさわしい娘はいないな。ただ母親のデメテルが寵愛《ちょうあい》しているから、おそらく遠い地底の国に娘を嫁がせるのを承知するまい。腕ずくで奪って、既成事実を作りあげるんだな」

と、入れ知恵をした。

その娘ペルセポネは、ゼウスとデメテルのあいだに生まれた子なのだから、ゼウスは自分の娘を彼女の叔父に当る男のところへ嫁がせようとしたわけだ。

デメテルは農耕の女神で、古代社会ではその所轄《しょかつ》上すこぶる庶民に敬愛されている女神であった。

ハデスは早速実力行使に出た。

ペルセポネがみごとな水仙の花園を見つけ、その花を摘もうとして手を伸ばしたとき、突然大地が裂け、神馬に跨《また》がったハデスが現われ、黄金造りの馬車にペルセポネを乗せると、そのまま地底深く走らせた。

「あ、助けて」

少女は叫んだが、その声を聞く者は少なかった。

最愛の娘を失ったデメテルは半狂乱になって地上を捜しまわったがどこにも見つからない。なにしろペルセポネの略奪は、大神ゼウスが黙認したことなのでみんな知らんぷりをしていたのだ。

ようやく太陽神のヘリオスがデメテルに真相を教えてくれた。

デメテルは悲嘆にくれ、悲しみは憤怒《ふんぬ》に変った。もうとても女神としての仕事をする気になんかなれない。

農耕の女神のストライキとあって、地上はたちまち大凶作。これにはゼウスを初めとする神々もすっかり弱ってしまい、使者のヘルメスを地下に送って、ペルセポネをとにかくいったん母のもとに帰してやるよう交渉させた。

ハデスは、さすがに地底の王だけあって心の広いところがある。

「よかろう。母のもとへ帰って来るがよい。しかし、あなたはこの国で柘榴《ざくろ》の実をすでに食べてしまった。掟《おきて》によりいったんこの国で飲食をした者は、完全に地上の人に戻ることはできない。まあ、一時の里帰りといったところだな」

と、告げた。

妥協案が出され、結局ペルセポネは、一年のうち三分の二を地上の母のもとで過し、残りの三分の一を地下で過すこととなった。里帰りとしては相当に好条件ですな。

かくて女神デメテルのご機嫌もおさまって、母と娘は一年の三分の二を睦《むつま》じく水入らずで暮すことになった。この時期には地上に花が咲き、作物が育つ。だがペルセポネが地下の国へ帰るとデメテルは悲しみに打ちひしがれ、季節は冬となるのであった。

オルペウスの願いをきいて、いったんその最愛の妻エウリュディケを地上に返してやろうとしたのは、ペルセポネの配慮であったのかもしれない。彼女にはオルペウスとエウリュディケの悲しみが痛いほどよくわかったはずなのだから。

VII　アリアドネの糸

ミノス王の娘アリアドネは、その人質を一目見たときから心を奪われてしまった。

——なんとすばらしい若者だろう——

薔薇色《ばらいろ》の肌。凛々《りり》しい面差し。眼は知性の深さを宿し、唇は意志の強さを示して厳しく引き締まっている。

——私の伴侶《はんりょ》となる人は、この男のほかにいない——

と、アリアドネは思った。

一目惚《ぼ》れ？

まあ、言ってみればそういうことだろう。

現代では、一目惚れはいくぶん軽薄な趣味としてその価値を不当に低く評価されているけれど、古い時代にあっては、人間はより率直に心情を吐露し、多くの恋愛は一目惚れと同時に始まった。

その青年の名はテセウス。アテネの王子であった。

アリアドネとテセウスがめぐりあったのは、おそらくクレタ島の、ミノス王の宮殿だったろう。

地図を開いて見ればすぐにわかる通り、クレタ島はアテネの南方三百キロメートルのあたりに浮かぶ細長い島である。エーゲ海文明の発祥の地として知られ、アテネとはしばしば政治的に覇《は》を競い合っていた国であった。

このクレタの王宮にどうしてアテネの王子がやって来たのか。

これより先、アテネとクレタが一戦を交えたことがあり、この時はミノス王がゼウスの加護を受けて勝利をおさめた。

戦勝国の王は当然アテネに対して戦利品を要求する。

「アテネ市は毎年七人の少年と七人の少女を人身御供《ひとみごくう》としてクレタ島に送るべし」

これが敗戦国に課せられた義務であった。

なんのための人身御供かと言えば、クレタ島のはずれに〝迷宮〟と呼ばれる不思議な城塞《じょうさい》があって、この城塞のどこか奥深いところに牛頭人身の怪物ミノタウロスが住んでいる。この怪物は、少年少女の肉を食うのが大好きで、これを献上しないと暴れ出す。ミノス王はアテネ市から人質を取って、これをミノタウロスに与えようと考えたのであった。

アテネ市としてはたまったものじゃない。

毎年いたいけな子どもたちを提供させられ、しかもその子どもたちが怪物の餌《えさ》に供せられるなんて……考えただけでも身の毛のよだつ話ではないか。

「なんとかならないものか」

「いっそのこと、その怪物を殺してしまえばいいんだ」

「しかし、だれが怪物を退治するんだ」

いまわしい年中行事のたびに市民たちの不満は広がり、これを聞いて、

「よし、オレが行ってミノタウロスを退治してやろう」

こう名のり出たのが、アテネの王子テセウスであった。

当時テセウスは二十歳になるかならずの若者だったと想像されるのだが、それまでの人生もなかなか多難であった。

まず出生の経緯が明白ではない。一応はアテネ王アイゲウスの子どもとなっているが、本当は海神ポセイドンの息子かもしれない。幼少期は素姓の知れない子として育てられ、のちにアテネ王の血を引く者らしいと噂《うわさ》されるようになってからも、血の力を証明するために幾多の冒険をおかさなければいけなかった。

つまり往時の大衆の感覚をもってすれば、王家の血を引く者はすぐれて勇敢でなければならず、国家の危難を救いうる勇者のみが王子の名に値するものだったのである。

テセウスがみずからミノタウロス退治に名乗り出たのも、こうした大衆の感情に応《こた》

えるためのものであった。

「私を人身御供の中に加えてください」

テセウスの願いは聞き入れられ、彼は敗戦国の贈り物としてクレタ島に届けられたのであった。

テセウスの勇猛な活躍はそれまでにもしばしば噂に昇っていたから、王女アリアドネはちょっと好奇心を覚え、囚《とら》われ人たちの部屋をのぞいて見たのではなかったか。それが運命の岐路になろうとは、彼女自身も予測しなかったことだったろう。

ところで牛頭人身の怪物ミノタウロスが住む〝迷宮〟とはどんなところだったのか。

現在でも犯罪事件の犯人がいっこうに見つからず、このままあきらめるよりほかにないという状態に陥ったとき〝迷宮入り〟という言葉を使っているが、この語源も遠くミノタウロスのすみかから来ている。その宮殿の名をギリシア語で言えば、ラビュリントス。ついでに言えば、医学用語では人間の耳の内部――内耳の部分をラビュリントと呼ぶが、これも耳の奥部が複雑に曲折して入り組んでいるからだろう。

迷宮はその名の通り回廊が複雑に作られていて、いったんその中に入ると二度と出て来ることができない。あちこちとさまよい歩いているうちに、結局はミノタウロスに出会ってしまい、そこで餌食《えじき》となる。

この宮殿を設計したのは、クレタ島の発明王ダイダロスで、彼は怪物ミノタウロスを閉じ込め、二度とこの世に姿を現わさないように、この宮殿を作ったのであった。

話をもとに戻そう。

テセウスが迷宮に送られる日が明日に迫った。アリアドネは気が気でない。

――あの人はミノタウロスを倒せると思っている。それは本当かもしれない。これまでにも数々の怪物たちを打ち負かしているのだから。でも、もし首尾よくミノタウロスを退治できたとしても、そのあとはどうなるのかしら？　いったん中へ入ってしまったらもう二度とこの世の光は拝めないと言うのに。あの人もきっと帰り道を見つけられず、そのままあの宮殿の中で飢え死にしてしまうのではなかろうか――

考えれば考えるほど不安が胸に込みあげて来る。

「そうだ。ダイダロスのところへ行ってみよう」

迷宮を設計した人なら、その迷宮からのがれるすべを知っているかもしれない。

王女は黒衣に身を包み、夜陰に隠れてダイダロスの家のドアを叩《たた》いた。

「ダイダロス。教えておくれ。私の大切な人があの迷宮の中へ入って行くの。首尾よくミノタウロスを退治したとしても、そのあとが心配だわ。さ、お前ならば知っているだろう。秘密の通路を教えておくれ」

ダイダロスはゆっくりと首を振った。

「いいや。せっかくの王女様のお願いですが、私にもわからんのです」

「本当に？」

「嘘《うそ》は申しません。設計図は王様の命令で焼き捨ててしまいました。なにしろ途方もなく複雑に作ったうえに、やつがれもすっかり老いぼれてしまって、よう思い出せません」

「はて、どうしたらよいものか」

アリアドネは眉根《まゆね》を寄せ、今にも泣き出しそうな風情《ふぜい》。ダイダロスが膝《ひざ》を打って、

「よい考えがございます」

「なんじゃ」

「糸玉を持って入るのです」

「糸玉を？」

「はい。入るときに糸の端を扉のところに結びつけ、糸玉をほどきながら中へ進みなさいませ。帰り道はその糸をたぐりながら戻れば、きっともとのところへ帰って来られるでしょう」

「よい考えだわ。ありがとう。恩に着るぞよ」

王女は踵《きびす》を返して王宮へ戻り、テセウスが閉じ込められている部屋へ急いだ。守衛を遠ざけ、テセウスを呼んで、

「もし、アテネの王子様、私はこの国の王女アリアドネです」

「…………」

「ミノタウロスの宮殿へ入ったら、もう二度と出られぬことをご存知か」

「うすうすとは聞いております」

「どうやって逃げ出すおつもりか」

「そこまでは考えておりませぬ」

「なんと無謀な。今までだれ一人としてあそこから逃げ出して来た者はおりませぬぞえ」

「首尾よくミノタウロスを倒したら、その時に考えましょう」

「それでは間に合いませぬ。私がよい手立てをお教えしましょう」

部屋の中から戸惑いの声が漏れた。

「しかし、何故《なにゆえ》あって、私にそれほどの情けをかけてくださるのか」

王女は一瞬たじろいだが、すぐに気を取り直し震える声で囁《ささや》き返した。

「あなたが好きだから。ひとめお顔を見たときからエロスの矢が私の胸を貫いたか

ら」

薄闇《うすやみ》の中で二人の視線が火花を放った。

王子もまたこの異国の女を憎からず思ったことだろう。

「わかりました。私も今、魂をアフロディテの翼に奪われました。喜んであなたのお情けをお受けしましょう」

「ここに糸玉がございます。この一端を迷宮の扉に結びつけ、あとは糸をたぐって出ていらっしゃいませ。そして……」

「そして？」

「私を連れてこの国を逃げてください。あなたをお助けした以上、私もこの国に留《とど》まることはできません」

「国を捨て、父君をお捨てになるのですか」

「私はあなたにこの身を賭《か》けましょう。どうあっても悔いはありませぬ」

「ありがとう。きっと私は迷宮から逃げて来よう。その時にあなたを連れて……」

「かならず？」

「かならず」

密談は短く終り、二人は目顔で再会を約束して別れた。

テセウスがアリアドネの助言通りにことを運んだのは言うまでもあるまい。

彼は他の十三人の犠牲者たちと一緒に迷宮の中に追いやられ、宮殿の中をさまよい歩くうちにミノタウロスにめぐりあった。

久しぶりにご馳走《ちそう》を見出《みいだ》した怪物は、奇っ怪に裂けた唇からよだれを垂らしながら近づいて来る。

「よし、よし、今年のご供物《くもつ》はいちだんとうまそうだぞ」

ミノタウロスのほうにも油断があったのだろう。例年の人身御供たちは、恐怖にうち震え、なんの抵抗もせずやすやすとミノタウロスの餌食になっていただろうから。

だが、勇者はミノタウロスがすぐそばに近づいて来るその瞬間まで、あわれな小羊を装《よそお》っていた。

「えいっ！」

脳天を目がけて鉄拳《てっけん》を叩きつけ、一撃で怪物の命を奪った。

「さあ、みんな逃げるんだ。オレのあとについて来い」

子どもたちを引き連れ、糸玉の糸をたぐって迷宮の外に出た。

扉のかげにはアリアドネが待っていた。暗い隧道《ずいどう》から飛び出して来る王子を、どれほどの喜びで彼女が迎えたことか。

しかし、ぐずぐずと愛の歓喜に身を委《ゆだ》ねているわけにはいかない。

「さ、早く。船の用意がしてあります」

入江のかげにはかねて手配の船が一隻《せき》もやっていた。

テセウスの頰が夜の中で薔薇色に輝く。アリアドネの頰もまた……。

二人は手を握りあい、クレタの島が黒く、小さく遠ざかるのを見つめながら初めて熱く抱きあった。ああ、心地よい海風。命を賭けた旅立ち……。

ミノス王がことの真相を知ったのは、すでに船が姿を消したあとだったろう。

「なんと！　テセウスが迷宮から逃げ出したと。どうやって逃げ出せたのだ。アリアドネが手を貸したと……。アリアドネはどこだ？　なに！　テセウスが連れ去ったと。馬鹿《ばか》め。アリアドネにそんなうまい知恵があるはずがない。だれかアリアドネに入れ知恵をしたやつがいるはずだ」

厳しい捜査が始まり、すぐにダイダロスの名があがった。

もうふたたびテセウスを捕らえるすべはない。アリアドネも戻っては来ないだろう。若者たちの逃避行がアリアドネの激しい愛から始まったことと知っても、王の怒りは収まらない。

いや、娘の一途《いちず》な恋に対してなにほどかの理解があったとしても、このまま事態を黙認したのでは国王としてのしめしがつかない。

怒りはまっすぐにダイダロスに向けられ、

「罰としてダイダロスを迷宮に閉じ込めろ。息子のイカロスも一緒だ」

王の命令はすみやかに実行に移された。

ダイダロスとイカロスの運命はあとで述べるとしてクレタをのがれたテセウスとアリアドネはどうなったか？

ふたたびエーゲ海の地図を眺めると、クレタ島からアテネに向って北上する途中、航路を少し東に寄せるとナクソス島がある。

この島はディオニュソス神の住むところであった。

ディオニュソスは別名をバッコスと言い、酒と収穫の神様として知られ、美術品などにもしばしば描かれているが、その事蹟《じせき》はかならずしも明確ではない。明確でないというより、あまりにも多岐にわたり、断片的なエピソードばかりが多く、一つの筋の通った物語として彼の生涯をたどるのがむつかしい。

察するに、古代民族にとっては収穫は第一の関心事であり、豊作を祝う祝い酒もまた身近な存在であった。それぞれの民族がそれぞれに酒と収穫の神を持っていたことは想像に難くない。こうした伝承が――もともと発生の異なる数多《あまた》の伝承が、のちに時代の流れの中で、すべてディオニュソスのエピソードとしてまとめられたのではなかったのか。

彼は大神ゼウスの息子であったが、初めはオリンポスの十二神の中には加えられず、その性格はさながら酒に酔ったときのように、凶暴で、衝動的で、理性よりも感情の赴くままに行動する神として描かれていることが多い。十九世紀の哲学者ニーチェが人間に芸術的意欲を起させる原動力として、ディオニュソス的なものとアポロン的なものがあると言ったのは、こうした伝説を拠《よ》りどころにしたものであった。すなわちディオニュソス的なものとは、陶酔の世界に属し、激情的に、衝動的に芸術作品を創造するタイプであり、また、アポロン的なものとは、調和を重んじ、知的に芸術世界を構築するタイプである。芸術家の伝記などを読むとき、それぞれがどちらのタイプとして出発したか、その結果として創造されたものがどう異なっているか、作品を理解するための一つの手がかりとなっているのは本当である。

ともあれテセウスとアリアドネとが船を止めたのは、このディオニュソスが支配するナクソス島であった。

ディオニュソスは――彼自身も冒険好きであり、充分に反逆児であったこの男神は、逃亡の船人たちをこころよく迎えてくれただろう。

「フーン、ミノタウロスを一撃で倒したのか。そいつはおもしれぇや。まあ、一ぱい飲め。それから……、そちらのお姫様、あんたは親父《おやじ》の眼を盗んでの駈《か》け落ちか。女っぷりもいいが、根性もあるぜ。飲めるくちなんだろ。さあ、遠慮はいらんぜ。飲むがいい、飲むがいい」

頬を火の色に染め、ディオニュソスはつぎつぎに酒を勧めた。

酒宴が進むにつれ、ディオニュソスの眼が淫靡《いんび》に輝き始めたのをテセウスは知っていたかどうか……。アリアドネの唇に、胸に、大腿《ふともも》に、まとわりつくような視線が注がれている。アリアドネ自身が気づいていたかどうか……。

――おかしいわ、この人――

そのくらいのことは思ったかもしれない。

しかし、世間知らずの王女は、男たちの淫《みだ》らな野心に慣れてはいなかった。テセウスの胸に身を預け、恋の美酒に酔いしれて、万一危険が振りかかって来てもこの頼もしい背の君がきっと振り払ってくれると信じていた。

旅の疲れと酒の酔いがテセウスを深い眠りに突き落し、アリアドネもまたまどろんだ。

だれかがアリアドネの体をまさぐる。

――あなたなのね――

夢の中で愛《いと》しい人に身を委ねたが、どこかが違っている。

はっとして目を醒《さ》ました。

酒くさい息。脂《あぶら》ぎった体臭。荒々しい愛撫《あいぶ》はテセウスのものではない。

「あっ」

声をあげる間もなく唇を塞《ふさ》がれた。

「いい娘だ、そう毛嫌いすることもなかろうが」

ディオニュソスの顔が薄笑っている。

アリアドネは必死に抵抗したが、もがけばもがくほど衣裳《いしょう》は乱れ、ますます深く抱かれてしまう。

ディオニュソスは女の反抗をかえって楽しむように乳房を愛撫し、軽々と脚を開かせた。

「テセウス、テセウス」

叫び声は闇に飲まれ、答えるものもない。

衣裳はたちまち剝《は》ぎ取られ、みずみずしい裸形に野性の神の体が覆《おお》いかぶさる。

たけだけしいものがアリアドネの体を貫き、いまわしい体液がアリアドネの中に広がった。

「わるくない味だ」

涙も出ないほどに打ちひしがれている王女に、ディオニュソスは卑猥《ひわい》な言葉を浴びせかける。

「どうだ、テセウスよりはいいだろう」

「…………」

「これからもかわいがってやるぞ」

逃げようとしても、ディオニュソスがしっかりと手首を握っているのでのがれられない。

それをいいことにしてディオニュソスはもう一度新しい凌辱《りょうじょく》に取りかかった。朝が白むまでに何度屈辱に耐えねばならなかったか。

そのあとでディオニュソスとテセウスのあいだでどんな話し合いがなされたかわからない。

「お前が眠っているあいだに、お姫様をちょっと抱かせてもらったぞ」

ディオニュソスは、さして悪いことをしたという自覚もなくそう告げたことだろう。

野獣のような生活を続けて来たこの男神には、昨夜の暴挙もそれほど異例なことではなかった。

テセウスは驚いた。

怒りもしただろう。

だが、相手は名にし負う凶暴な神様である。

「そう怒るな。あの女をオレのところに置いて行け。これからはお前の守護神になってやろうぞ」

力強い神の加護を受けるのと、恨みをかうのとでは人生の様相は一変する。

アリアドネがテセウスを愛していたほどにはテセウスはアリアドネを深く愛していなかったのかもしれない。

それともテセウスは色恋よりも実利的な身すぎ世すぎを考えるタイプだったのか。

ミノタウロスを打ち負かした勇者も、ディオニュソスの前では弱気だった。

翌朝早くテセウスの船がナクソスの港を出たとき船の中にはアリアドネの姿はなかった。

遠ざかって行く船の影をアリアドネはどんな思いで見送っていただろうか。悲しみの視線が、あの糸玉の糸のようにいつまでも船の跡を追っていただろう。

アリアドネの記録はここで途絶える。彼女がディオニュソスの寵愛《ちょうあい》を受けて幸福な生涯を送ったと考える根拠は薄い。自分を捨てて行った恋人を思いながら薄倖《はっこう》な命を島で閉じたのではなかったか。そう考えるほうが可能性が高い。

一方、船中のテセウスも心穏やかではなかった。

先に人身御供《ひとみごくう》としてアテネを出るとき、テセウスは、自分の父親に、

「もし無事で帰って来るなら船に白い帆をかかげましょう。黒い帆が立っていたら、私は死んだものと思ってください」

と、言い残して来た。

ナクソス島を出たとき船は黒い帆を張っていたが、船中の者たちはアリアドネのことを思っていて、それを白い帆に取り替えるのを忘れていた。

アテネの王アイゲウスは息子の帰りを一日千秋の思いで待ちわびていたが、ある日岩壁に立って見ていると、テセウスの船が黒い帆を張って帰って来る。

老王はよろめき、絶望のあまり断崖《だんがい》から身を投げて死んでしまう。

テセウスはたて続けに不幸な出来事に見舞われたわけだが、それでも意気軒昂《けんこう》に立ち直りたちまちアテネ王となって君臨したところをみると、やはり現実的な思考の持ち主だったのかもしれない。

アテネ王となったのちのテセウスの物語はこの後も波乱含みに続いていくのだが、

ひとまずこのテーマはここらあたりで筆を納めることにしよう。

ここではそれよりもクレタの迷宮に幽閉されたダイダロスとイカロスの運命を語らねばなるまい。

迷宮の脱出路は設計者自身にも思い出せない。

「お父さん、どうしよう。なんとか逃げ出す方法はないかなあ」

「まあ、あせるな。なにかよい手段があるにちがいない」

「ええ……」

「そうだ。空がある。陸の道をたどって逃げることができないものなら、空から鳥のように逃げ出せばいい」

「そんなことできますか」

「まあ、やってみよう」

ダイダロスはすぐれた科学者であった。

鳥の体を観察し、それを模して二人分の翼を作った。

「イカロス、お前はこれをつけろ。私はこっちのほうだ。よいか。いい気になってあまり高く飛ぶんじゃないぞ」

二台の飛行機は迷宮を下にして高く舞いあがった。

しかし、イカロスは若過ぎた。父親の忠告にもかかわらず、彼は大空に舞いあがったうれしさのあまり、さらに高く、さらに広く下界を見おろそうとして高度をあげた。

「イカロス。いかん。もっと高度をさげろ。危いぞ」

ダイダロスが叫んだが、声は届かない。

イカロスの翼は太陽に近づくにつれ、接着剤として用いていた蠟《ろう》が溶け始めた。

「ああっ」

鋭い叫び声が天を裂き、ダイダロスが振り向いたときには、イカロスの翼は宙を舞い、まっさかさまに海へ落ちた。水の青さがたちまち白い翼を飲んで、あとはただ静かなエーゲ海が広がるばかりだった。

ミノタウロスの住んでいた迷宮は、ただのお伽話《とぎばなし》として長く考えられていたが、二十世紀に入ってイギリスの考古学者アーサー・エヴァンズがクレタ島を発掘し、そこに複雑な回廊を持った壮大な宮殿のあったことを証明した。

西洋史の初めで習うクノッソスの王宮がこれである。

牛頭人身の怪獣も、クレタ人が牛を珍重していたことと関係があり、そこに強力な王が住んでいたことの象徴ではないか、と推定されている。

となるとアリアドネも実在したのだろうか。

さよう、アリアドネはいつの時代にも実在しただろう。一人の勇者を献身的に愛し、しかしながらけっして報いられなかった女ということならば。

VIII

パンドラの壺《つぼ》

むかし、あるところにプロメテウスとエピメテウスの二人の兄弟が暮していた。この兄弟は、その名前からしてすでに寓意《ぐうい》的であった。

たとえば、本の目次などを見ると、前書きの部分をプロローグと言い、後書きの部分をエピローグと呼んでいることが多いが、〝プロ〟には〝前の〟という意味があり、〝エピ〟には〝後の〟という意味がある。また〝メテウス〟は〝考える〟という意味を含んでいる。

プロメテウスは、〝前もって考える〟人であり、エピメテウスは〝後で考える〟人であった。日本語の慣用句で言えば、さしずめプロメテウスの名は〝先見の明〟であり、エピメテウスの名は〝下衆《げす》の後知恵《あとぢえ》〟であろう。

あるとき、エピメテウスが独り家で留守居をしていると、門の前に美しい女が立っている。

いや、厳密に言えば、エピメテウスはその訪問者を女と考えることさえできなかっただろう。なぜならば、それまでにこの地上には女というものが存在しなかったのだから。

なにやら自分たちとは、少し違っているけれど、おおむねそっくりな、美しい生き物がそこに佇《たたず》んでいる。

「お前はなんだ？」

「私はパンドラ」

「パンドラ？」

「私は女。大神ゼウスからあなたがたに贈られて来たプレゼントなの」

「へえー、驚いた」

こんなやりとりがあったにちがいない。

ついでに言えば、パンドラという名にも寓意が籠《こ》められていて、〝パン〟が〝すべての〟の意、〝ドラ〟が贈り物。彼女は神々からの〝すべての贈り物〟としてこの世に遣わされた女であった。

もしその贈品の明細目録を作ってみるならば、美の女神アフロディテからは、雅《みや》びな美しさと触れなば散らんといった風情《ふぜい》の媚態《びたい》を授けられ、奸智《かんち》にたけたヘルメスからは恥知らずの心と小ずるい知性を与えられ、芸術の女神アテネからは、身を美しく装《よそお》ういっさいの技術を委《ゆだ》ねられていた。

なにしろ途方もなく美しい生き物だから、エピメテウスの心はたちまち高鳴った。

一目見ただけで体が熱くなった。

薄衣《うすぎぬ》の下では形のいい乳房がなだらかな曲線をのぞかせている。恥毛の下には、底知れぬ喜びが潜んでいるように思えてならない。

「ねえ、ちょっとだけ家の中へ入れてくださいな」

「うん……」

エピメテウスはドアの隙間《すきま》から曖昧《あいまい》な声を返した。

かねて兄のプロメテウスから〝ゼウスの贈り物にはろくなものがないぞ。気をつけろ〟と教えられていた。ドアの外に立っている美形は、そのゼウスからの贈り物だ、と言う。

――大丈夫だろうか――

そのくらいの疑念は抱いたにちがいない。

だが、なにぶんにも彼は〝後で考える〟人であった。遅れて後悔をするのが彼の才能であった。

「ね、いいでしょ。独りで退屈してたんじゃないの」

独身アパートに天下の美女がいきなり訪ねて来たようなものである。

「どうぞ」

エピメテウスはパンドラを招じ入れた。地上にはそれまで女がいなかったのだから当然彼は女を愛する方法を知らなかった。ただパンドラのそばに近づいて、さながら美しい花でも愛《め》でるように、手の指で髪を梳《くしけず》ったり、蠟石《ろうせき》の肌を撫《な》でたりしていた。

しかし、パンドラのほうは天上の神々から全《すべ》ての才能を――とりわけ女としての知恵を存分に贈られて来たのだから、愛の技法《アルス　アマトリア》についても一通りの知識があった。

「唇はなんのためにあるの？」

「ものを食べるためだ」

「それだけ？」

「話をするためだ」

「それだけ？」

「ほかになにかあるのか」

「そうよ」

しなやかな腕を伸ばしてエピメテウスの肩を抱き、そうして彼の唇に女の軟らかい唇を重ねた。

「乳房はなんのためにあるの？」

「わからん、そんなもの」

「静かに撫でてくださいな」

パンドラはうっとりと眼を閉じ、官能の喜びに身を震わせる。

エピメテウスは戸惑いながら、

「心地よいのか」

「ええ」

女の顔には今までに見たこともない恍惚《こうこつ》の表情が漂っている。

「うらやましい？」

パンドラはとろけるような視線をはすかいに流して問いかける。

「ああ」

「あなただって……」

女の手が男の感じやすい部分に伸びた。

こうしてエピメテウスは、人間として最初の媾合《こうごう》を体験した。

ひとたび性の歓《よろこ》びを知ったら、簡単に忘れられるものではない。エピメテウスは寄ると触るとパンドラを抱き締め、官能の美酒に酔いしれていた。

ところで、パンドラが地上に降りて来たとき、壺《つぼ》を一つたずさえていた。

その中になにが入っているのか、パンドラ自身にもよくわからない。

エピメテウスは、その壺に気づいて、

「なんだ、それは」

「わからないの。神様がくださったの。けっして開けてはいけないって……そう言われて来たの」

「ほう？」

神話の記述ではエピメテウスがそれ以上に深くその壺に関心を抱いた気配はない。彼としては、なにやらお守りのようなものだと想像していたのかもしれない。

むしろ、その壺を気がかりなものと思ったのはパンドラのほうだった。

――なにかしら――

エピメテウスとの愛の日々が始まってからというもの、パンドラはすっかり満足して地上の生活を楽しんでいた。

まるで押しかけ女房のように身一つでエピメテウスの館《やかた》にやって来たパンドラとしては、なにか天上からのプレゼントを差し出したほうがよろしいと判断したのかもしれない。

〝けっして開いてはならない〟と命じられていたが、そう言われれば言われるほど、ちょっと中を覗《のぞ》いてみたくなるのが人情だ。

ある日——エピメテウスも外に出かけて留守だったが——パンドラは無聊《ぶりょう》のままに壺を取り出し、しげしげと眺めて見た。

蓋《ふた》には固く封がほどこしてある。

見れば見るほど、なんの変哲もない、ただの壺だ。

——少しだけ覗いてみようかしら——

長い逡巡《しゅんじゅん》のすえ、とうとう彼女は我慢できなくなって壺の封を切り、そっと蓋を動かしてみた。

その瞬間、壺の中から、もやもやと怪しい形のものが立ち昇り、周囲を満たし、たちまち四方に飛び散った。

「あ、いけない」

パンドラは叫んだ。

形状はつきとめがたかったが、なにやら悪《あ》しきものであることは直感的にわかった。

彼女は茫然《ぼうぜん》として立ち昇る黒煙を見つめ、次にあわてて壺の蓋を閉じた。

だが、もうすでに遅かった。

壺の中のものは、あらかた飛び散り、その底にたった一つのものが残っただけだった。

パンドラの壺から飛び散ったものは、病気、悪意、戦争、嫉妬《しっと》、災害、暴力など、ありとあらゆる〝悪〟であった。

かろうじて壺の底に取りとめたのは〝希望〟であった。

それまでの地上には、なにひとつとして邪悪なものはなかった。人間たちはいとも穏やかに、幸福に暮していたのだった。だが、いったん壺の中から諸悪の根源が飛び散ってしまったら、もうこれを取り押えることはできない。さながら処女地に広がる伝染病のようにさまざまな悪は地上に広がり、人間たちは不幸に身を晒《さら》さなければいけなくなった。

ただ一つ、かろうじて〝希望〟だけが残った。数々の不幸に苛《さいな》まれながらも、私たちが希望だけを拠《よ》りどころとして生きていけるのは、このためなのだ、とギリシア神話は教えている。少なくともそう解釈することは許されるだろう。

私は、このパンドラの壺のエピソードを読むたびに、いつも二つの連想を抱く。

一つは、ラ・ロシュフコーの箴言《しんげん》の一節。

ラ・ロシュフコーは、十七世紀フランスの文人で、短い警句を集めた〝箴言集〟はよく知られている。その中で彼はこう告げている。

〝希望はずいぶんと嘘《うそ》つきではあるけれど、とにかく私たちを楽しい小径《こみち》をへて、人生の終りまで連れて行ってくれる〃と。

その通り。

私自身これまでの半生を振り返ってみても、どれほど希望に裏切られたかわからない。もし希望と同じように嘘つきな人格が私の周辺にいたならば、私はどんなにその人を憎むだろうか。

だが、私たちは希望に対して愛想づかしをすることはできない。とにかく彼は、私たちに人生のさまざまな楽しい小径を示し、最期《さいご》の最期までなにかしら〃よいもの〃を与えてくれるのだから。思えば、パンドラが壺の底にかろうじてこれを取り残してくれたのは、せめてものさいわいであった。

もう一つ、パンドラの壺とともに私の心に昇って来るのは——まことに突飛な連想にはちがいないのだが——衆議院解散の風景だ。

議事堂の大会議場で解散が宣言され、金バッジの先生たちは、いっせいに全国の選挙区に飛び散る。

皮肉な見かたをすれば、あれこそ現代の〃パンドラの壺〃ではないのか。

選挙運動の最中に、幾多の密約が交わされ、利権のからんだ取引きが闇《やみ》から闇へと飛ぶ。諸悪の根源がばら撒《ま》かれ、私たち選挙民に残されるのは、かろうじて〃少しはよくなるのじゃあるまいか〟という希望だけ。違うだろうか。

話をギリシア神話に戻して、その後のエピメテウスとパンドラはどうなったのか。

当然、壺の中からは諸悪の一つとして〝仲たがい〟や〝離婚〟も飛び出したと思うのだが、彼等二人はその直撃を受けなかったらしい。

二人は結婚し、娘のピュラを得た。ピュラは、プロメテウスの息子デウカリオンと結婚した。従兄姉《いとこ》同士の結婚ですな。

デウカリオンは、人類を滅ぼす大洪水のあることを予測し、箱船を造って必需品を積み込み妻とともに逃れた。他の人々はすべて死滅したが、二人は生き残り、ギリシア人の祖となった、と言う。なにやら旧約聖書の中のノアの箱船に似た話だが、聖書とギリシア神話は末節のあたりで入り混っているところも多いから、二つのエピソードはもとは同じ伝説から生まれたものなのかもしれない。ギリシア民族の祖となったヘレンは、このデウカリオンとピュラの息子である。古代ギリシア人をヘレネーと総称するのはこの名に由来する。

話は前後するが、なにゆえあってパンドラが地上に贈られることになったのか、そのいきさつについても一応触れておかなければなるまい。

パンドラが直接訪ねたのはエピメテウスの館であったが、神々がこの諸悪の根源となるべき女を地上に送った、その本来の目的は兄のプロメテウスに対してであった。プロメテウスは、先にも述べたように〝前もって考える〟人であった。賢さにかけては比類がない。大神ゼウスも一目置かなければならないほどの知恵者であった。

彼はある時、ゼウスの知恵を試そうとして、一つ皿に肉と骨を盛りつけ、

「どうぞ、お好きなほうをお選びください」

と、告げた。

肉のほうには胃袋をかぶせていかにもまずそうに見せかけ、骨のほうは逆に脂肉《あぶらにく》にくるんでいかにもおいしそうに見せかけておいた。一説では、この骨は人間の骨だったとも言う。

ゼウスはまんまと欺《だま》されて骨のほうを取った。

全能の神に対して、こんな悪戯《いたずら》を試みてはただですむはずがない。そもそも〝ゼウスの知恵を試してみよう〟などと、そんなだいそれたことを考えるだけでもけしからん。ゼウスの憎しみをかうのも当然であった。

もちろん、〝前もって考える〟人が、ゼウスの恨みをあらかじめ考慮に入れておかなかったはずがない。プロメテウスは、ゼウスに憎まれることを充分に承知したうえで、あえて大神との知恵比べをやってみたふしがある。

それほどプロメテウスは、自分の才力について自信を持っていたわけだが、さらに加えてゼウスの弱味を握っていた。

「あまり私に手ひどいことをすると、あなたにもよくないことがありますよ。ウフフフ」

と、匂《にお》わすものだから、ゼウスとしてもまことに薄気味わるい。

ギリシア神話の登場人物たちは、たいていゼウスの前では恐れおののいてひれ伏すのが常であったが、プロメテウスだけは違っていた。彼はまことに大胆な反逆児であった。

その反逆の最たるものは、神々のすみかから火を盗んで人間たちに与えたことだろう。

ゼウスは神々の優越性を保つために、人間どもには火を与えぬほうがよろしいと考えていた。

火の使用が、人間と動物とを分ける革命的な発見であったことは文化史的に見て充分に頷《うなず》けるところだ。その意味において、ゼウスの配慮は、それなりに正しい判断であった。

プロメテウスは、人間たちの貧しい暮しに同情して、火を盗み与えたと伝えられているが、動機はそれだけではあるまい。

これもまたゼウスの鼻をあかしてやろう、と、お得意の茶目っ気から出たことでもあった。

プロメテウスは燈心草《とうしんそう》を持って天界に登り、太陽神の燃える車輪にそれを押しつけて火を移し、それを地上に持ち帰った。以来人間は火を得て、これを用いる方法もプロメテウスから教えられた。夜は灯りをともすようになり、物を煮たきして食べる術《すべ》も知った。道具を作るためにも火が役立つことを会得《えとく》した。

さらにプロメテウスが人間にもたらしたものは、火ばかりではなかった。家を建てること、気象を観測すること、数を数えること、文字を書くこと、家畜を飼うこと、船を造ること、すべてプロメテウスが伝えてくれた知恵であった。

言ってみれば、古代の人類の賢さはなにもかもプロメテウスから由来していると説いても、あながち言い過ぎではあるまい。

ゼウスは人間たちがあまりに賢くなるのを好まなかった。プロメテウスから知恵を授けられ、次第に賢くなる人間たちを眺め、そこで〝ひとつ懲《こ》らしめてやれ〟とばかり地上に贈った、謀略のプレゼントがパンドラだったのである。

女性が誕生したとたんに、この世の悪が始まった、と言ったら、女性軍からおおいに反撃を受けそうだが、パンドラの壺のエピソードを読む限り、ギリシア人がそう考えていたのは事実のようだ。とりわけ、美しい、コケティッシュな女に毒がある、という考え方はエピソードの中にはっきりと現われている。

　いつの世にあっても男はそういう女にのぼせあがり、つい、つい道をあやまってしまうことを直感的に、また歴史的にみずから熟知していたから、男中心の社会では、いつもそうした女を悪の使いとして糾弾する傾向があるのだろう。パンドラは地上に降りて来たこと自体がすでに、人間に対する刑罰であり、さらに壺を開くという行為により一層その刑罰を確かなものとしたわけである。〝けっして開いてはいけない〟と言えば、パンドラがその言に反して開くこともゼウスは充分に計算に入れていたのだろう。

　賢くなった人間たちには罰として諸悪の根源を与えてやったが、はてさて、肝腎《かんじん》かなめのプロメテウスはどう罰してやったらいいものか。

「あの野郎、なにかオレの弱味を握っているらしい」

　ゼウスはそこのところに不安があって、プロメテウスの跳梁跋扈《ちょうりょうばっこ》に手をこまねいていたわけだが、悪戯が度重なると、我慢ができない。

「もう勘弁ならん」

堪忍袋《かんにんぶくろ》の緒が切れて、断固制裁の手段に出た。権力の神クラトスと暴力の神ビアに命じて、知性の神プロメテウスを捕らえさせ、人跡を絶ったこの世の果てまで連れて行かせた。

プロメテウスは磔《はりつけ》にされ、その腹に杭《くい》を突き通され、そこには一羽の鷲《わし》がとまっている。鷲はプロメテウスの肝臓を啄《ついば》む。一日かかって食い荒すと、次の日にはまたプロメテウスの中に新しい肝臓が育ち、次の日もまた鷲につつかれる。こうして永遠の責め苦を味わわなければならなくなった。

人類の恩人に対するこの仕打ち。私たちとしては、まことに残念至極だが、心配するなかれ。

プロメテウスの刑期は三万年と宣言されていたが、しばらくして解放されたようだ。

ゼウスは彼を地獄へ送る前に、

「お前が握っているオレの弱味とはなんなのだ？」

と、尋ねた。

「さあ、なんでしょうかね」

この件に関してはプロメテウスは沈黙を守ったまま地獄へ落されたらしいが、この知恵者もさすがに地獄の苦行がこたえたのか、

「大神ゼウスよ。あなたに重要な情報を教えてあげるから、私をここから逃がしてくれ」

と、頼み込んだ。

ゼウスはこの取引きに応じた。

「よし、わかった。話してみろ」

その内容は――〝前もって考える〟人だからこそ予知できたことなのだろうが――ゼウスはある時一人の少女を見そめる。その少女の名はテティス。もしその少女とゼウスが交われば、男児が生まれ、その子は父ゼウス以上に全智《ぜんち》全能《ぜんのう》の神となり、ゼウスを追い払うだろう、というものであった。

ゼウスの顔色が曇った。

大神は折しもテティスという娘とめぐりあい、その美しさに触手を伸ばそうとしている矢先であった。

「それはまことか」

「誓って偽りは申さぬ」

「うん。思い当ることもあるわい」

なにしろゼウス自身がかつて自分の父クロノスを天界から追い払い、大神の地位にすわった経験を持っている。わが子に追い落されるかもしれないというのは、充分にありうる忌《いまわ》しい想像であった。

浮気者のゼウスも、このときだけはテティスをあきらめた。

ゼウスはプロメテウスとの約束を守り、ヘラクレスに命じて肝臓を啄む鷲を射《う》ち殺させ、鎖から解き放ってやった。

老いたるプロメテウスはゼウスと和解し、晩年はオリンポスの神々の助言者として平穏に暮した、と言う。だから、今では地獄の底にプロメテウスはいない。

ゼウスに見そめられながら、その愛を受けずに終ったテティスは、人間界の男ペーレウスと結ばれた。

トロイア戦争で活躍するギリシア方の武将アキレウスは、この二人の子どもである。

いかなる宿命によってか、テティスは〝かならずその父より優秀な息子を生む〟という子宮を持っていて――それゆえにゼウスは彼女と交わるのを断念したのであったが――その宿命通り、神話の中でも一きわ名高い息子を生んだわけである。

こういう子宮ならば、昨今の教育ママもちょっと譲り受けたいのではあるまいか。

ジョークはさて置き、このテティスとペーレウスの結婚式は、天上の神々を招いて華やかに、盛大にとりおこなわれた。

一方、その頃、ゼウスは世界の人口問題に頭を悩ましていた。いつのまにか人間どもが増え過ぎて、このままでは食糧不足が起きてしまいそうだ。

なんとか人口を減らす、うまい方法はないものか。

「そうだ、ひとつ戦争でも始めさせようか」

ずいぶんと無茶な発想だが、神様はもともと残酷な思想の持ち主である。

そこで一計を案じ、テティスとペーレウスの結婚式の招待状が、争いの女神エリスにだけは届かないようにした。

エリスとしては、はなはだおもしろくない。

「まあ、なんてことを。私だけをのけ者にして」

と、憤慨する。

なにしろ争いの女神だから、この世の中に軋轢《あつれき》の種をばら撒くのは、彼女のもっとも得意とするところだ。

黄金の林檎《りんご》を一つ持って、招かれもしない結婚式場に出かけて行き、神々の臨席している宴の席へ林檎を投げ込んだ。

「あら、なにかしら」

「なんでしょう」

女神たちが取りあげてみると、その果物には、

〝一番美しい女神へ〟

と、記してある。

女神たちは色めき立った。

それぞれの女神がそれぞれにわが美貌《びぼう》には自信を持っている。

「一番美しい女神と言えば……これは当然私のものね」

「あら、なに言ってんのよ。それは私のためのものよ」

「冗談もほどほどにしてくださいな。私がいただくわ」

とりわけ激しく争ったのが、ゼウスの妃《きさき》ヘラと、知恵と芸術の女神アテネと、そして美と愛の女神アフロディテであった。

ゼウスはニヤニヤ笑って三人の喧嘩《けんか》を眺めている。

女神たちは、

「じゃあ、だれか公平な第三者に判定をしてもらいましょうよ」

という結論に達し、この時に選ばれたのが、羊飼いの少年パリスであった。のちにギリシアから絶世の美女ヘレネを略奪した、あのトロイアの王子パリスである。

この略奪が原因となって、トロイア戦争が起きたことは、すでに第一章でも述べた

通りだ。

ゼウスの人べらし計画はみごとに功を奏したと言うべきだろう。

以上、この章では計らずも、パンドラの壺《つぼ》とエリスの林檎と、二つの贈り物について述べることとなった。

どちらもあまりありがたい贈り物ではなかった。

ギリシア神話に限らず、民話伝説のたぐいを読んでいると、あまり〝結構な〟贈り物にはめぐりあわない。たいてい、そのプレゼントを受け取ったために、ろくでもない事件が持ちあがる。

これは、やはり、人から物をもらうのはだれにとってもうれしいことにはちがいないけれど、だが、しかし、ご用心、うれしいことだけによく気をつけなさい、という昔の人々の教訓だったのだろう。古今東西、贈り物には、なにやらきなくさい、黒い紐《ひも》がついていることが多いものらしい。

IX 狂恋のメディア

まずその船は五十数人のギリシア人を乗せるにふさわしい巨大な船であった。時代は伝説上の出来事ながら紀元前十二、三世紀頃。トロイア戦争よりもう少し古い時代だったろう。船の名はアルゴー丸。櫓《ろ》つきの帆船であった。

ギリシア半島の東側、エウボイア島の北方にパガサイ湾があり、この湾の一番奥まったところにイオルコスの町があった。

アルゴー丸はこの町の港を出帆してエーゲ海をよぎりレムノス島に立ち寄り、今日のダーダネルズ海峡を経てマルマラ海を横断、さらにボスポラス海峡を抜けて黒海に入り、南海岸にそって東行しコーカサスのあたりまでたどり着いた、とされている。往路だけでも二千キロを越す航海であった。

古代ギリシア人のだれかが現実にこのあたりの地方にまで船を進めていたのは想像に難くない。遠国の噂《うわさ》は風聞としても入っていただろう。武勇譚《たん》という名の略奪行為も数多くあっただろうし、旅先の土地で現地人の反撃を受け客死した船乗りも多かっただろう。アルゴー丸遠征と金の羊毛皮の物語は、こうした古代人たちの体験を一つの伝説としてまとめあげたものであった。

物語の発端はいつものことながら時間を多少溯《さかのぼ》らなければならない。テッサリアのイオルコスでは、国王のアイソンが弟のペリアスに謀《はか》られて王位を追われた。アイソンが老齢であるため、その息子のイアソンが成人するまでペリアスは自分が王位につくと言うのである。王と王子と王の弟、この三者をめぐるトラブルは、シェクスピアの〝ハムレット〟を俟《ま》つまでもなく王制社会ではお馴染《なじ》みのものであった。

こういう叔父のもとではイアソンは無事に育つのがむつかしい。母親の配慮でイアソンはペリオン山中に住む神人ケイロンのところに預けられ、学術・武術の手ほどきを受けた。

イアソンはやがて二十歳の眉目《びもく》秀麗な若者に成長し、学問においても武芸においても師の教えをことごとく凌駕《りょうが》するようになった。

「もうお前に教えることはなにもない。都へ帰って叔父のペリアスより王位を譲り受けるがよい。神託もそれを望んでいる」

「わかりました」

イアソンが王宮に着いたとき、国王ペリアスは神々を祀《まつ》る饗宴《きょうえん》のまっ最中であったが、イアソンは群衆をかきわけ、まっすぐに王座に進み出て、自分が王子イアソンであること、かつての約束に従い王位を譲り受けたいと申し出た。

ペリアスとしてもそうおめおめと若僧に王座を明け渡すわけにはいかない。鼻でせせら笑いながら、

「よかろう。王位の継承は汝《なんじ》の父君と約束したことだ。約束は守らねばなるまいな」

「いかにも」

「ただしじゃ。なんの力もない男に国の命運を委《ゆだ》ねるわけにはいかぬわいなあ」

「私ではご不満だとおっしゃるのですか」

「まあ、待て。そうじゃ、よいことを思い出したわい。汝は知るまいが、わしたちの従兄《いとこ》にプリクソスという者がいた。プリクソスはヘルメス神から金毛の羊を貰《もら》い受け、これに跨《また》がって空を飛び、遠くコルキスの国にまで渡った」

「はい？」

「そこでコルキスの王アイエテスに謀殺され、恨みを飲んで死んだと言う。金毛の羊も今は裘《かわごろも》となってコルキスの国にある。この金の羊毛皮を取り戻し、プリクソスの霊を慰めてやらなければ、ヘルメス神に対しても申し訳が立つまいのう。ひとつコルキスまで行って、これを取り返して来てくれ。よいな、金の羊毛皮をたずさえて無事に帰国したときが、汝が王位を譲り受ける日と思え」

ペリアスは冷たく言い放つとサッと王座を立った。

イアソンとしてはその後姿に向って、

「承知しました。かならず」

と叫ぶよりほかにはなかった。

コルキスは黒海のかなたの国。現在のグルジア共和国のあたりと推察されるから、並み大抵の海路ではない。しかも問題の羊毛皮は不眠の竜が眼を光らせて守っているという噂ではないか。

イアソンは早速同志を募った。

彼の人柄を慕ってたちまち五十数人の勇士が集まって来た。かつてケイロンのもとで学んだ時の仲間もいた。竪琴《たてごと》の名人オルペウスも千里眼のリュンケウスも豪傑ヘラクレスもやって来た。船は名高い船大工のアルゴスが設計し、彼の名にちなんでアルゴー丸と名づけられた。

準備はたちまち完了し、イアソンを隊長とするアルゴー丸遠征隊がパガサイの港からめでたく出港する運びとなった。

三日目にレムノス島に到着。驚いたことにここは女ばかりの島であった。そこへ勇者五十数名を乗せた船が着いたのだから、ただですむはずがない。女たちは大歓迎。

男たちはたちまち島の女と意気投合して旅の使命も忘れる始末。

男色好みのヘラクレスだけがいち早く危険を察して、

「諸君。戯《たわむ》れにうつつを抜かして旅の目的を忘れてはなるまいぞ。故郷には妻たちも待っている。さあ、明朝には出発しよう」

と、叫んだ。

言われてみればその通りだ。一同は女たちに別れを告げ、うしろ髪を引かれる思いで島を去った。

そのヘラクレスはヒュラスという少年を愛していて、この遠征にも彼を連れて来ていたのだが、船がキオスに寄港したときにヒュラスは水を求めて上陸し、そのまま帰らない。ヘラクレスは少年を追って山へ入ったが、いっこうに見つからない。

「オレはどうしてもヒュラスを見つけなければならない」

「みんな先を急いでいる」

「じゃあ、オレはここに残る」

結局、船はヘラクレスをキオスに残して出帆する。ヒュラスは神隠しにでもあったのだろうか。少年の姿を野に山に捜し求めたヘラクレスは結局見つけられず傷心のまま一人ギリシアへ帰ることになる。

アルゴー丸の一行は航海の途中でさまざまな珍事に遭遇する。たとえば、ビテュニアでは国王のアミュコスに拳闘《けんとう》の勝負を挑まれ一行の中の力自慢ポリュデウケスがこれを受けて打ち負かしたり、あるいはトラキアのサルミュデッソスでは女面鳥身の怪物に苦しめられている国王ピーネウスを救ってやる。

国王はおおいに感謝して、

「なんと、ご一行はコルキスまで金の羊毛皮を取りに行かれるのか。これは難事じゃ。まずこの国を出ると、すぐにシュンプレガデスと呼ばれる大岩のあいだを通り抜けなければなるまい。この岩は海の中に漂う大岩で、絶えずぶつかっている。これに挟まれたらどんな船でもひとたまりもない。されば、まず白い鳩《はと》を放ち、鳩が通り過ぎたのを見た一瞬に力いっぱい櫓を漕《こ》ぐがよい。くれぐれもタイミングを間違わないように」

と、適切な忠告を与えてくれた。

アルゴー丸の一行がピーネウス王から鳩を貰い受け、その忠告に従ったのは言うまでもあるまい。

なるほど行手に島ほどの巨岩が二つ聳《そび》え立ち、すさまじい音をあげてぶつかり合っている。海はゴウゴウと逆巻き、高い波しぶきが靄《もや》となって周囲を覆《おお》っている。

鳩を放つと、まっしぐらに飛び去り、岩間を飛び抜けるのが見えた。

「それ、今だ」

一同は懸命に船を漕ぐ。いったん引き離れた岩は無気味な響きをあげて、また近づき始めた。

ガツン。

危機一髪。船はかすかに船尾の飾りを奪われただけで、この難所を通り抜けることができた。

それより後の海路は比較的穏やかで一行はオルペウスの奏《かな》でる竪琴の音を楽しみながら船旅を続けた。女人《アマゾン》の国に立ち寄り、プリクソスの息子のアルゴス等に出会って一行に加え、アルゴスの案内でパーシス河を溯って目ざすコルキスに到着した。

さて、一方、アルゴー丸が航海を続けているとき、オリンポスでは神々の会議が開かれていた。

神々はいったん外国《とつくに》に奪われた金の羊毛皮を取り戻そうとして旅立ったイアソンたちに対しておおいに好意的であった。とりわけ女神のヘラとアテネは美青年を応援して、

「コルキスの王アイエテスは、なかなかのしたたか者よ。そうたやすく金の羊毛皮を

返すとは思えないわ。なにかうまい手立てはないものかしら」

「そうね。こういうときは、アイエテスの身内にイアソンの身方を作れば、うまくいくと思うわ」

「アイエテスの娘にメディアがいるじゃない。あの娘をイアソンの恋人にしてしまえばいいのよ」

「じゃあ早速アフロディテに頼んで、エロスの矢を射《う》ち込んでもらいましょうよ」

すでにご存知の通りアフロディテの息子エロスはローマ名をキューピィドウと言って、いつも弓矢を手にもっている幼児だ。金の矢をつがえて人間の胸を射抜けば、たちまちその人は恋の虜《とりこ》となってしまう。

ヘラとアテネに頼まれてアフロディテはエロスにこの役割を演じさせることを承諾した。

アルゴー丸の一行がコルキスの王宮に到着したとき、運命の王女のメディアは神殿の巫女《みこ》を勤めるため外出しようとしているところだった。だが姉のカルキオペに、

「大広間にギリシアの男たちが来ているらしいの」

と、言われ、

「へーえ、どんな人たち」

と、軽い好奇心にかられて顔を出したに過ぎない。

広間ではコルキス王アイエテスとアルゴー丸遠征隊の隊長イアソンが、声を荒らげて言い争っている。メディアが、

――なにごとかしら――

と、首を伸ばしたとたんに、エロスの矢が彼女の胸を貫いた。

「あっ」

メディアは小さな声を漏らしたかもしれない。一瞬、異様な胸の高鳴りを覚えた。なにか不可思議な妖気《ようき》を吸い込んだようにさえ思えた。

一人の若者の姿が急に彼女の眼にくっきりと映った。凜々《りり》しい面差し。澄んだ声。

――ああ、すばらしい男――

頰が熱くなる。たちまち恋の嵐《あらし》が彼女の心の中に吹き荒れ、そのまま立っていることさえ苦しかった。

「なに、金の羊毛皮を受け取りに来たと？　それはならぬ」

アイエテスはイアソンたちの願いを聞いて、にべもなくはねつけた。

イアソンは怒りを押えて、

「これは聞き分けのないお言葉。あの羊毛皮は、もとはと言えばヘルメス神がわれら

に賜ったもの。持ち帰って祖国の神殿に奉納するのが筋でございましょう。われらはこの使命を果すため、神々の加護を受けてこの地までやって来ました。長の旅路をなんの障害もなく、こうして無事にやって来れたのが、なによりも神々の加護を受けている証拠。みだりに逆らっては御身のためにもなりますまい」

アイエテスはアルゴー丸の一行を皆殺しにする手段も考えたが、それでは事を荒立てるばかりか、なるほど神々の怒りをかうことにもなりかねない。

「よかろう。客人たちよ。もし御身らがまさしく神の使命を受けて金の羊毛皮を取りに来たのならば、まず私の前でその力を実証してくれねばなるまいな」

「なにをお望みか」

「私の厩《うまや》にはかつて軍神アレスの持ち物であった牡牛《おうし》がいる。青銅の足を持ち、口から火を吐く暴れ牛じゃ。この牛に軛《くびき》をつけ、アレスの聖地を耕してくれ。その畠《はたけ》に私の与える竜の歯を撒《ま》くと、大勢の武者たちが土の中から湧《わ》いて出るはずだ。この武者どもをことごとく討ち倒して見せるならば、御身らの言葉を信じて金の羊毛皮を返してやろう」

イアソンは少時思案した。

どうやら大変な難題を吹きかけられたらしい。しかし、この命令に応ずるよりほかに道はなさそうだ。仲間たちの力を信じてとにかくやってみよう。

頭をまっすぐに立て厳然と答え返した。

「よろしい。やってみましょう。成功の暁にはかならず金の羊毛皮をわれらに返却されるように」

メディアもその声を聞いていた。

イアソンの男らしい態度がさらに一層彼女の胸を躍らせたことだろう。

話は少し変るが、私が初めてアルゴー丸遠征の物語を知ったのは、ギリシア神話そのものを通してではなく、グリルパルツェルの戯曲〝金羊毛皮〟によってであった。グリルパルツェルは十九世紀オーストリアの劇作家。私の家の本棚に旧版の〝世界文学全集〟（新潮社刊）があって、その中に〝独逸《ドイツ》古典劇集〟の一冊があった。私の記憶が間違いなければ、グリルパルツェルの〝金羊毛皮〟はその中に収録されていたと思う。

この世界文学全集は戦前の文学愛好家ならだれでもお馴染みのもので、茶色のケースを抜くと表紙のラッパーに作品の一場面を描いた油絵ふうの図版が印刷されていた。〝レ・ミゼラブル〟〝モンテ・クリスト伯〟〝神曲〟〝アイヴァンホー〟〝失楽園〟などの題名が、次々に私の脳裏に昇って来る。

〝金羊毛皮〟を読んだのは高校三年生の頃だったろう。受験勉強に励まなければいけない時期だったが、ご多分に漏れず勉強よりは読書のほうが楽しい。しかも私はその前年に父をなくし、家族は経済的に困窮していたので、大学へ進むよりなにか職業に就くべきではないのか、と考えていた。

東宝映画会社で演出助手を求めている広告を見て、〝演出助手か、悪くないな〟と思ったりした。事実入社試験を受け、合格した。

結果的には家族に説得されて大学へ進むことになるのだが、この時期に盛んに戯曲を読んだのは、演出家のようなものをやってみたいと、演出家がどういうものかもよくわからずに漠然と考えていたからだろう。

グリルパルツェルの〝金羊毛皮〟は、暗い、おどろおどろしい芝居であったことを除けばほとんどなにも印象に残っていない。同じ頃、同じ文学全集で〝仏蘭西《フランス》古典劇集〟を読んだ。モリエールはわかりやすく、ラシーヌも部分的に感動した。

大学でフランス文学を専攻したのは、多少はこの影響があったのかもしれない。グリルパルツェルの〝金羊毛皮〟がもっとおもしろければ、私の進路も変っていたかもしれない。

今、この原稿を書くに当ってグリルパルツェルの〝金羊毛皮〟を取り出してみたが、暗い、おどろおどろしい芝居という印象は正確だったようだ。ギリシア神話の物語にほぼ忠実な筋運びで、コルキスの王女メディアはこの戯曲でもヒロインとなって悲劇的な役割を演じている。

さて、話をギリシア神話の原話に戻して——イアソンに一目惚《ぼ》れをしたメディアは、心の中で父の言葉を反芻《はんすう》した。

——父上はあの若者に途方もない注文をつけたんだわ。火を吐く牛を軛に繋《つな》ぐなんて、とてもできることじゃない——

メディアの胸に牡牛に引き裂かれ無《む》惨《ざん》に死んで行くイアソンの姿が浮かんだ。

——こうしてはいられない——

メディアは臥《ふし》所《ど》から身を起し、手箱の中からプロメテウスの草と呼ばれている薬草を取り出した。この薬草を煎《せん》じた液を体に塗ると、いかなる猛火にさらされても火傷《やけど》一つ負わない。

屋敷を出たメディアは、祈願のためへカテの神殿に向うイアソンを待ち伏せ、この薬草を与え、薬の効能を知らせた。イアソンとメディアはこの時初めて口をきいたはずであったが、二人は以前からこうなることが宿命づけられていたように親しみあった。

牡牛との戦いの結果は、こまかく述べる必要もあるまい。イアソンは薬草のおかげで火を吐く牛をものともせずに押え込み、犂《すき》を取りつけ、暴れる牛を蹴《け》り飛ばして畠を耕した。アイエテスから預った竜の歯を撒くとたちまち大勢の武者が現われたが、これもことごとく討ち倒した。

メディアは眠っていたが、夢の中で父がなにやら邪悪な企てを考えているのを感じた。イアソンが約束通りにことを運んだのだから、当然素直に金の羊毛皮を渡してあげなければならないものを、父は烈火のごとく怒ってイアソンたちの皆殺しを考えているらしい。娘がイアソンの手助けをしたことにも気づいたらしい。彼女はまたしても薬草を握り、

――こうしてはいられない――

と、臥所を出た。

そしてイアソンたちが眠っている船に近づいて恋しい男を呼び出した。

「お急ぎになったほうがよろしいわ」

「なぜ？」

「父が攻めて来るかもしれません」

「しかし、私たちは金の羊毛皮を得ずにここを逃れるわけにはいかない」

「金の羊毛皮が吊《つる》してある森へは私が案内いたしましょう。見張りの竜を眠らせるすべも知っております。さ、まいりましょう」

「王女よ、どうしてあなたは父君を裏切ってまで私たちに親切にしてくれるのか」

「…………」

メディアは答えず、熱い眼差《まなざ》しでイアソンを見た。

——それを私にお聞きになるのですか——

とでも問いたげであった。イアソンもすぐに王女の心を察した。彼もまたこの異国の女に強く引かれていたのであった。

二人の吐息が闇《やみ》の中で白く交わった。メディアは伏し目がちに、

「どうかあなたのお国に連れて行ってくださいませ。あなたなしでは私は生きられないのです」

「よかろう。無事に故国にたどり着いたらあなたを妃《きさき》として迎えよう」

と、イアソンは誓った。

一行はメディアの案内で聖なる森へ入り、大樫《おおかし》の木の幹に燦然《さんぜん》と輝く金の羊毛皮を見た。周囲はその光を受けて昼のように明るかった。

不眠の竜は、あやしい物音を聞いてゴウゴウと耳を破るほどの恐ろしい唸《うな》り声をあ

げていきりたつ。

だが、心配ご無用。メディアが香りの強い薬草を取り出し、それを振りながら少しずつ近づくと竜の声は次第に小さくなり、瞼《まぶた》が重なり、眠り込んでしまった。

あとは金の羊毛皮をかかえて一目散に逃げ去るのみ。船には大勢の仲間が首を長くして待っていた。森の奥からさながら朝日が射《さ》すように光がこぼれ、その中から金の羊毛皮を肩にかけたイアソンがメディアの手を引いて現われた。

「それっ！　ともづなを切れ。出発だ」

アルゴー丸はたちまち帆を風に張ってコルキスの地を離れた。

真相を知ったアイエテスはすぐにアルゴー丸追跡の船団を組織して追いかけた。

しかしアルゴー丸の船足が速いのでとても追いつくことができない。むしろ陸路を馬で走った軍団のほうがアルゴー丸の進路を待ち伏せる形となった。この軍団の指揮者はメディアの弟のアプシュルトスであった。

アルゴー丸の勇士たちは敵の大軍におののき、

「これは勝ち目がない。メディアを敵に渡して妥協を計る道はないものか」

と、口々に言い始めた。

メディアはその声を聞き顔色を変えた。イアソンのもとに走って心変りを詰《なじ》ったのも当然だろう。

「そんな冷たい仕打ちをなさらないで。あなたの国まで一緒に行こうと約束なさったのと違いますか。それに、どの道、ここで私を弟の軍に渡したところで皆さんは助かりませんわ。金の羊毛皮を奪い返され、そのうえで惨殺《ざんさつ》されるでしょう」

それもおおいに頷《うなず》ける意見だ。

「なにかそなたに名案があるのか」

「ございます」

恋する女は必死であった。

彼女の計画は、弟を欺《だま》しておびき寄せ、そこで謀殺することだった。姉の手紙の文面を信じた弟は、まず姉を救い出し、それからアルゴー丸を攻撃して金の羊毛皮を取り返そうと考えた。

だが姉が知らせた出会いの場所には死が待っていた。指揮官の死はコルキス軍の動揺を呼び、アルゴー丸はそのすきをついて河口から海へ逃れた。

その後いくつかの困難があったが、とにかくアルゴー丸は故国の港まで無事に戻り着く。

驚いたのはイオルコスの国王ペリアスである。

まさか帰って来るまいと思っていた甥《おい》のイアソンが約束通り金の羊毛皮を持って帰国したと言う噂《うわさ》ではないか。王位をあの男に譲らねばならないのだろうか。

ペリアスはそらとぼけていっこうに王位を譲ろうとしない。

ここで知恵を働かせたのは、またしてもメディアであった。

ペリアスの娘たちを呼び寄せ、薬草を投じた湯の中によぼよぼの牡羊をつけて見せたところ、たちまち若い羊に変ってしまう。ペリアスの娘はこれを見て、

「お父上にもやってみてくださいな。このごろすっかり老いぼれてしまって」

と、頼み込んだ。

しかし、メディアは大事な薬草を一つ抜いておいたので、ペリアスは釜《かま》ゆでにされ、あえない最期《さいご》となった。

これほどむごい復讐《ふくしゅう》をやっては、世論を静めるのにいささか時間がかかる。イアソンとメディアは一時コリントスに赴いたが、ここで思いがけない不幸が待っていた。

イアソンがコリントス王の娘グラウケと親しくなり、メディアと別れようと言い出したのだ。離婚が一方的に宣言され嫉妬《しっと》に狂ったメディアは毒草のエキスを塗った衣《い》裳《しょう》をグラウケに贈って、これをまとったグラウケは即死。コリントスの王が駈《か》けつけ、娘の衣裳に手を触れたところ、これも毒に犯されて死んでしまう。

市民の怒りが爆発し、メディアはとてもこの国にいることはできない。イアソンとのあいだにできた子どもも市民に惨殺され、メディアは命からがらアテネに逃れる。イアソンはすでに故国に帰って王の座についていたのだろう。メディアとは離別し、すでに関係がなくなっていたと考えなくては辻褄《つじつま》があわない。

メディアのほうは、その後アテネ王の妃に納まったが、その後の消息は明らかではない。彼女は〝アリアドネの糸〟の章で述べたテセウスがアテネに帰国したとき、お得意の毒草を使って暗殺しようとしたが、この時は露見している。テセウスが先王に替ってアテネの王になった以上、彼女の運命はそれほど明るいものではなかっただろう。

以上がアルゴー丸遠征の顚末《てんまつ》である。

ギリシア神話は、すでに何度か述べたようにさまざまな伝説の複合体として、長い時間の中で成立したものだ。アルゴー丸遠征の物語にもいろいろなエピソードが加えられ、首尾一貫せぬものを無理にまとめあげたようなところがある。

メディアがいったいどんな性格の女であったのか、そのイメージを作るのがむつかしい。一途《いちず》に恋に生きる乙女にしては、策を弄《ろう》し、毒薬を使い、あまり快い印象が残らない。彼女のイメージがもっと清敏であったならば、アルゴー丸の物語はもう少し味のよいものとなっていたのではないか。ギリシア神話の中の数多くのエピソードの中で、この説話だけが私の記憶に薄いのは、ヒロインの性格が私の好みにあわないせいなのかもしれない。

X

幽愁のペネロペイア

昭和三十年頃だったろうか。北原武夫《たけお》の〝告白的女性論〟というエッセイが世間の話題を集めたことがあった。

女とはどういう生き物なのか。男との違いを豊富な実例を挙げて、その生理から心理まで克明に、論理的に、だが小説家らしく感動的に解明したものであった。

たとえば〝ランデ・ヴウの時女性は何を望んでいるのか〟という一章があった。

恋しい女と会ったとたん、会ったことのうれしさだけで有頂天になり、手一つ握れない男がよくいるものだ。けっして彼女の肉体に興味がないわけではないのだが――むしろ、並々ならぬ興味はあるのだが、ただ恥をかくのが怖くて思い切った行動に出られない。彼はランデ・ヴウのあいだじゅう、ただ彼女と会っている自分を認識することで陶酔し、彼女がそれとなく示した数多《あまた》の素振りの意味するものにいっこうに気づかない。一緒に並んで映画を見ているとき、彼女が暗い中で妙にしげしげとこっちを見ていたこと。あるいはハンド・バッグを座席から落したので、急いでそれを拾って手渡す時など、妙に彼女がグズグズしていたこと。さらにまた帰途家の近くまで送りとどけていって、そこで別れようとすると、まだ寝たくないからもう少し歩くわ、などと彼女が急に言い出して、同じ道を歩いたこと、などなどがなにを意味しているのか……。

北原さんは自分もこういう男だったと告白したあとで（本当かどうかはあやしいけれど）女性の心理を分析し、ランデ・ヴウの場合などには〝女性は、女性としての自分の価値を相手がどれほど認めているかという証拠を、何よりも具体的に相手から見せて貰《もら》いたがっている、……もう一歩を進めて言えば、自分の方から進んでそういう行動を取るのは好まないけれども、恋人の間では当然のものとして許されているそういう行為を、この恋人が自分に向って、どれほどの巧みさで実演して見せてくれるか〟と期待しているのだ、と看破してみせる。そして〝紳士などというのは好きになる時の条件であって、好きになったあとまで女性を支配している条件ではない。彼女は（なんの行動もできない男を見て）そこに、自分の価値を喜んで認めようとしない、ケチで怯懦《きょうだ》な一人の裏切り者を見るのだ。そして困ったことに、この点では、女性ほど寛大でない人間はない。そこで、気の弱い男、羞《はず》かしがりの男、照れ性の男は、折角手に入れかけた恋人を逃がしてしまうのだ〟と解説する。

まさしくそれに該当する私は〝ウン、ウン〟と頷《うなず》いて読み耽《ふけ》ったものだった。男は〝女の価値を最大限に発揮させる演出力を持たなければいけない〟というのが、この著者の主張だった。この一書は当時の若者をおおいに勇気づけ、啓蒙《けいもう》してくれたのである。

当然のことながら、

「北原さんの女性観は一面的だ」

という反論もあった。

もちろんすべての女性がそう簡単に割り切れるものではない、と思う。

だが、今日読み返してみても、あまねく適中しているかどうかはともかく、

「そうなんだよなあ、女はこう考えるときがあるんだよなあ」

と、思わず膝《ひざ》を打って唸《うな》りたくなる。文章としてそれだけの説得力がある。「北原さんは作家やなあ」と叫びたくなるのだ。

かつて女心を知りたくてうずうずしていた私が感激したのも無理がない。この本を読んですっかり女心を理解したつもりになり、だが現実にはそれほどよくわかってはいなかった。女がいくらかわかるようになったのは、結婚してからで、それではもういささか手遅れである。

〝告白的女性論〟がよく売れたので、同様の趣向の〝体当たり女性論〟が続いて出版された。これもおもしろかった。

その中に、たしか〝鬼のフンドシを洗う女〟という、珍妙な題名の一くだりがあったと思う。

男と愛し合っていた女が鬼にさらわれてしまう。男は長年女の行方を捜し、ようやく居所を見つけて救い出しに行くと、女は川で鬼のフンドシを洗っている。逃げ出そうと思えば簡単に逃げ出せる状態なのに、女はいっこうに動こうとしない。男が詰《なじ》ると、女は、

「だって、もう長い間ここで暮しているんですもの。急にどこかへ行く気になれないの」

と、答える。

女にとっては、長い間続いているものならば、たとえ鬼のフンドシを洗うような生活だって、それほど厭《いや》でなくなってしまう。遠くの恋人より近くの鬼、なのだ。そんなところがある、と、この女性心理の研究家は巧みに指摘していた。

そう言われてみると、そんな気もする。私は、古い時代の物語を読むととりわけこのエピソードを思い出す。古い物語には鬼が出てくるといった単純な符合性からだけではあるまい。

戦利品として敵方に連れ去られた女たちはどうなったのだろうか。いつまでも悲し

んでいたって埒《らち》があかない。敵の大将のフンドシを洗いながらでも、そこに一定の幸福を捜さなければなるまい。それが男にそって生きていた時代の、女の宿命だった。そう遠い昔のことを考えなくても、何十年か前の嫁入りは単身敵の中へ飛び込んで行くようなものだった。だが、三十年もたつとその嫁さんは、どっかりと一族の中で腰をおろしている。そんなケースが多々あったではないか。

ギリシア神話の中にも――と、ようやく話は本題に移るのだが――新しい環境に巧みに適合した女はたくさんいる。まずトロイアのヘレネ。彼女はみずから進んで誘拐《ゆうかい》されたふしもあるが、トロイアの国でみごとに根をおろしている。アンドロマケもピュロスがもう少しゆっくりと口説けば、ハッピイ・エンドになったのではないか。アリアドネだって、案外ナクソスの島でディオニュソスのフンドシを楽しそうに洗うようになったのではないか。

だが、一方、けっして新しい情況に馴染《なじ》もうとせず、かたくなに遠い日の戻って来るのを待っていた女がいた。すなわちオデュッセウスの妻ペネロペイアである。

オデュッセウスはユリシーズとも呼ばれ、神話の中でもっとも名高い英雄の一人だから、彼のエピソードは多かれ少なかれたいていの人が知っているだろう。映画も作られている。もとよりホメロスの〝オデュッセウス物語〟の主人公である。

この物語は内容的にはトロイア陥落後の十年間を扱っているが、時間の経過としては四十一日間の出来事にしかすぎない。物語の途中でオデュッセウスが故郷へ帰る途中の十年間で遭遇した難事を回想し、時間を溯《さかのぼ》るという近代的な手法を取っているのは興味深い。

それはともかく、そのオデュッセウスだが、彼はペロポネソス半島の西北側の小島イタケの出であった。地図でみれば、オトラント海峡を挟んでイタリア半島の長靴の踵《かかと》がそう遠くない位置である。なるほど、東海岸の国々に比べれば、トロイアからの道のりは一番遠い。故国にたどりつくまで、少なくとも他の武将たちより大変だったのは、この面でも充分に頷ける。

彼の前半生はあまり明らかではない。まず先にトロイア遠征以降の物語が作られ、それにあわせて幼い頃の話がつけ加えられたのではあるまいか。少年時代、狩りに出て猪《いのしし》に襲われ、膝に大きな疵《きず》を受けた。これは、数十年後トロイアから故国へ帰り着いたとき、彼を識別する有力な手がかりとなるのだが、こんなエピソードも都合よくあとから作られたのだろう。

もとよりオデュッセウスがどんな人格の男であったか、知るよしもない。ギリシア軍の中では、武勇でアキレウス、知恵でオデュッセウスと広く言われているから、まあ、参謀役としては抜群の手腕を持っていたのだろう。戦場で苛立《いらだ》つ武将たちの、潤滑剤的な役割をしばしば演じているが、これも彼の才覚にふさわしい。

たとえばギリシア軍の総大将アガメムノンとアキレウスとが戦利品の女の取り合いから仲たがいし、臍《へそ》を曲げたアキレウスは戦闘にいっさい参加しなくなったことがあった。この時、アキレウス懐柔の使者として立ったのもオデュッセウスだった。この説得は成功しなかったが、遠征軍の陣内でなにかもめごとがあるとたいていオデュッセウスが調停役にかり出されている。

トロイア戦争はすでに述べたように十年間続いた。守るも攻めるもウンザリの状態だ。

このまま包囲戦を続けても勝ち目はない。なんとかしてトロイアの城壁に軍勢を忍び込ませることができないものか。

あまりにも長い戦争につくづく飽きてしまったオデュッセウスが最後に思いついたのが、あの木馬作戦。とてつもなく大きな木馬を作り、その中にギリシアの精鋭五十人を隠し、船は故国に向って引きあげたふりをする。トロイア人はきっと戦利品としてこの木馬を城内に運び込むだろう。そこで祝い酒。

トロイア軍が酔いしれたすきを狙《ねら》って、木馬の腹から忍び出て、沖合に戻って来た船に合図を送る。城内のギリシア人が城門をあけ、いっきに勝負を決める——という計算であった。

考えてみれば一か八《ばち》かの危険な作戦だ。木馬の中で見つかったら皆殺しになるおそれも充分にある。むしろこうした無謀な戦法を採ったところに遠征軍の疲弊とあせりが窺《うかが》えるのではないか。

もちろんこの危険な作戦に、立案者自身が参加しないわけにはいかない。彼は進んでその中に隠れ、まずまっ先に飛び出して戦いの指揮をとったらしい。ゲリラ戦も巧みだったのである。

こうしてトロイア戦争に勝ち、一行はなつかしい故国に船首を向ける。ところがオデュッセウスはなかなか故国にたどりつくことができない。航海の始めに嵐《あらし》にあい、あちこちを逍遥《しょうよう》し、見知らぬ島に上陸してみれば、ここは一眼の巨人ポリュペモスのすみか。十二人の部下と一緒に捕らえられ、一日二人ずつ食べられる。オデュッセウスの持っている酒で酔った巨人は、

「お前の名はなんと言う」

と、尋ねる。悪戯《いたずら》好きのオデュッセウスは、

「オレの名か。〝だれでもない〟だ」

「うん、おもしろい名だ。気に入ったぞ。お前を食うのは一番最後にしてやろう」

そうほざいて眠ってしまった。

一方、オデュッセウスたちは、オリーブの木で槍《やり》を作り、その先端を火でまっ赤に焼き巨人の眼を突いてめくらにしてしまう。巨人は眼を押え、大声で仲間の助けを求めた。

巨人の仲間が変事を覚えて駈《か》けつけてきて、

「どうした、だれがやった？」

と、聞けば、ポリュペモスは、

「〝だれでもない〟だ」

と、答える。それがオデュッセウスの名前だと思ったから、ポリュペモスはそう答えたのだが、他の巨人たちは、

「なんだ、だれでもないのか」

と、シラケた顔で家へ戻ってしまった、と、なにやら落し話のよう。

翌日、盲目の巨人が洞穴を出るのと一緒にうまくオデュッセウスらは飛び出し、船にのがれたのだが、巨人たちがこれを見つけて追って来ると、船の上から、

「甘酒進上、ここまでおいで」

とは言うまいが、口汚くからかったあげく、

「おい、ポリュペモスよ、お前の眼を潰《つぶ》したのは〝だれでもない〟じゃない。その名も高いオデュッセウス様よ」

と、言ったから、口は禍《わざわ》いのもと。ポリュペモスはくやしがり、父なるポセイドンに祈り、

「父上、私はこんなひどい目にあいました。この復讐《ふくしゅう》にどうかオデュッセウスを故国に帰れぬようにしてください。もしそれが駄目なら、オデュッセウスは長い、長い航海のすえ仲間をすべて失い、惨《みじ》めな姿で故郷の家へ帰るようにしてください」

と、訴えた。

海の大王ポセイドンが後半の願いを受け入れたのは、これもすでに読者諸賢のご承知の通りである。

これからのち、オデュッセウスは風神アイオロスの住む島に停泊し、意気投合して風の袋をおみやげにもらった。

「南に進むときはこの袋じゃ。西に向うときはこっちの袋だ」

「これがあれば、たちまちイタケの島へ帰れるぞ」

たしかに文字通りの順風満帆。船は大海原を滑り、船員たちはある日叫んだ。

「おい、イタケ島だ」

「飯を作る煙も見えるぞ」

オデュッセウスは港につく前にまずは一眠りと思って仮眠をとったが、その時部下の一人が主人の足もとの袋を見つけ、

「はて、金貨かな」

口を開いたからたまらない。

たちまち逆風が起り、船はまたはるか他国の果てまで運ばれてしまった。

それから人食島に流されて上陸した部下たち全員を失い、なおも数人の同朋《どうほう》と航海を続け、二、三の冒険を経たのち、あの有名なセイレンの住む島の近くを通過。上半身は女、下半身は鳥の形をした怪物たちは、すばらしい声で歌を歌い、それに引き込まれて島に上陸した船員はみんな鳥の餌食《えじき》になってしまう。

オデュッセウスは、そうと知りつつもその歌を聞いてみたい。仲間の者たちはみんな耳に蠟《ろう》を詰めて歌声を聞かぬようにしたのだが……。

歌声が聞こえるにつれオデュッセウスはいても立ってもいられない。かろうじてマストに体を縛りつけて難をのがれた。

さらに何度か危難に出会い、仲間も部下も全部失い、ただ一人美麗のニンフ、カリュプソの住む島に漂着。ここに数年滞在した。彼女は愛情こまやかで、心根のやさしい女だった。

「結婚してほしいの」

と、迫られたが、このしたたかな知恵者はグラグラと心を引かれながらも、

――待てよ、待てよ。家には女房もいる。たしかにカリュプソはいい女だが、恋の夢なんかいつかは醒《さ》めるもの。結婚の約束はやめておこう――

と、胸算用をはじき、

「すまないが、オレには妻も子もあるんだ。こうして愛しあっていればいいじゃないか」

と、長い髪を撫《な》で撫でしてさとした。

一方、オリンポスの山のほうでは、神様たちのあいだで、

「もういい加減オデュッセウスを故郷へ帰してやれ」

という意見も出て、大神ゼウスも、

「それがよかろう」

と、宣言する。ヘルメスがカリュプソのところへ使者として立ち、

「もう勇者を故国へ帰してやれ」

と言えば、うるわしのニンフは目にいっぱい涙をため、

「神々はいつも私たちにむごいことを望まれる。こんなに愛しているのに……」

と、泣き崩れたが、もとより大神の意見にさからえるはずもなく、恋しい人の旅支度を手伝うのだった。ああ、船のとも綱、ヤレホンニサ、泣いて解く。

ところがポセイドンはまだオデュッセウスを許さない。そこでまたオデュッセウスは大嵐に見舞われるが、ここでもニンフのレウコテアが彼を助けてくれる。すこぶる行動的な男だから、女性にはよくもてる。けっして北原武夫さんの描く人物のようにモタモタなんかしていない。

アルキノオス王の国では、王女のナウシカアにも見染められ、王と王妃の信頼を得て「娘の婿《むこ》にどうか」とまで言われたが、オデュッセウスはやんわりと断わる。彼はここでは自分の名を名乗らずにいたのだが、詩人がトロイア戦争の話を吟ずるのを聞いて思わず涙をこぼしてしまう。

「客人なぜ泣くのか」

そこで、オデュッセウスは身分を告げ、名を言い、そして自分がトロイア戦争以後今日までにめぐりあった苦しい体験を語り始める。

〝オデュッセウス物語〟は――先にも触れたが――オデュッセウスがまずニンフ、カリュプソにめぐりあう場面から始まり、そのあとイタケの町で夫の帰りを待つ妻のペネロペイアとその息子の様子に移り、それからカリュプソと別れアルキノオス王の国に来て、そこでみずからの過去十年を語る、という構造になっている。さて、その故郷の家でペネロペイアはどう暮していたのだろうか。

夫のオデュッセウスがトロイア戦争へ旅立ってから二十年が流れた。だが、いっこうに夫は帰って来ない。消息もわからない。息子のテレマコスもりっぱな成人に育った。

ペネロペイア――幽愁の人はよほどの美貌《びぼう》だったにちがいない。オデュッセウスを戦場に送り出したとき十八歳だったとしても、もう三十八歳になっている計算だ。その彼女のところへ近在の若い貴族が大勢やって来て、

「もうオデュッセウスを思うのはおやめなさい。いくら待っても甲斐《かい》ないこと。どうぞ私の妻になってほしい」

と、次々に申し込む始末。

彼等はオデュッセウスの宮殿に日夜やって来て、ペネロペイアを口説いては、その客間で酒を飲み、ものを食う。勝手にオデュッセウスの財産を浪費するわけだ。その

横暴ぶりは見るに見かねるほどであったが、女と子どもだけの所帯では強いことが言えない。

成人したテレマコスが、ある日思い余って、

「みなさん、なにゆえあって、わが家でそうわがもの顔に振舞っているのですか。ここは私の父オデュッセウスの家です。父が留守をしてても母がいます、私がいます。勝手な振舞いは許しません。お帰りください」

と、告げたが、客間の男たちはニヤニヤ笑い、

「坊や、威勢がいいじゃないか。大人の話合いに首を突っ込んでも、ろくなことがないぜ。悪いのはオレたちじゃない。お前のお袋さんもよくないよ。オレたちは、みんな知っているんだぞ。ペネロペイアは〝オデュッセウスは死にました。だが、みなさん、求婚の件は私がわが父ラエルテスの死衣裳《しにいしょう》を縫い終るまでお待ちください。その時にはっきりどの殿方を選ぶか返事をします〟と言ったんだぜ。ペネロペイアは昼間こそ熱心に布を縫っているが、夜になると夢中になって糸をほどく。これじゃあいつまでたってもできあがるはずはないぜ。さ、だれをお父さんにしたらいいか、お母さんとでも相談したらいいぞ」

と、横柄《おうへい》に言うばかりであった。それどころか邪魔なテレマコスを殺そうなどとい

う物騒な動きもある。

このころ、〝父が生きている〟という噂《うわさ》がテレマコスの耳に届き、彼は父を捜しに行く。

噂は本当だった。

オデュッセウスは、イタケの島に到着し、かつての下男、豚飼いのエウマイオスの小屋へ行く。これより先オデュッセウスはアテネ神のお告げを得ていて、〝よいか。故郷へ足を踏み入れても、簡単に名を名のっては危険が振りかかるだろう〟と忠告されていたので、この下男にも名を明かさなかった。そこへ、神の導きで息子のテレマコスがやって来て、父子は二十年ぶりの対面をする。二人は感激の涙を流して抱きあい、父は、

「さあ、いったん母のところへ帰れ。だが、けっして父が生きていたと言ってはならんぞ」

と、告げる。

そして、そのあと、オデュッセウスは乞食《こじき》同然の姿で自分のなつかしい家を訪れた。老犬がオデュッセウスを二十年ぶりに見て、忘れずにいたのはこの時のことだ。主人が家を出てからはだれもかまってくれないので、老いさらばえて立つこともできない

が、その眼差《まなざ》しはしっかりと主人の帰還を知っていた。

居間の求婚者たちはこの乞食姿の男をののしる。なにも知らないペネロペイアは、求婚者たちにうながされ、とうとう抗しきれず、

「夫のオデュッセウスは、出陣のとき、もし自分が帰らなかったら、テレマコスを立派な息子に育て、そのうえでだれかと結婚するがよい、と言い残して行きました。無事息子も成人したので、明日みなさんにはお返事をします」

と、宣言し、うなだれて居室へ戻った。

乳母のエウリュクレイアも主人の帰還に気づいた一人だった。足を洗うとき、子どもの時に猪《いのしし》に突かれた疵《きず》あとを見たからだった。しかし、オデュッセウスは乳母にも口留めをし、テレマコスと一緒に家の中のいっさいの武器を片づけさせた。

翌朝、求婚者たちはペネロペイアの返答を求めてざわめいていた。〝テレマコスなど邪魔だから殺してしまえ〟などという、不穏な計画もささやかれていた。

ここでオデュッセウス家秘蔵の強弓が取り出され、ペネロペイアが、

「この弓を引き得た人のところに私はまいります」

と、言う。

なにしろものすごい大弓である。だれも引くことができない。

結局はオデュッセウスがこれを引き、

「われこそ、この家の主人、オデュッセウスだ」

と名のり、たちまち客人たちを討ち殺したエピソードも、ドラマティックな終局としてよく知られている。

ペネロペイアは、この惨酷《ざんこく》な場面の時には居室に引き退《さが》っていたが、乳母のエウリュクレイアに真相を知らされる。

「まさか……そんなこと」

絶句したが、この人も夫に負けず劣らず冷静沈着な人柄だった。いきなり抱き寄せようとする夫の手を振り払い、

「オデュッセウス手製のベッドをここに運んでちょうだい」

と、乳母に命ずる。

それは一つの罠《わな》だったが、オデュッセウスは笑って、

「あのベッドはオリーブの木に造りつけたものだから、動かすことはできない」

と、夫婦だけが知っている秘密を告げた。

ペネロペイアは初めて微笑し、夫の胸に飛び込む。

「あなた、お帰りなさいませ」

歓喜の笑いはいつしか激しい慟哭《どうこく》に変っていた。

以上が大急ぎで語った〝オデュッセウス物語〟一万二千百十行のあらましである。ペネロペイアの人柄もあまりはっきりしない。ただの貞淑な女というだけではもの足りない。

そこで空想するのだが、彼女は美貌であるばかりか、大変賢い女でもあった。いくぶん内向的ではあっただろう。

昼日中に縫い物をし、それを夜中にほどく、などという発想は、陽性な女のやることではない。

物静かではあったが、自分の資質については、おおいに自信を持っていたのだろう。才人オデュッセウスは、そうした彼女の自信をくすぐるのがすこぶる巧みだったのだ。北原武夫さんは、

〝女性は、女性としての自分の価値を相手がどれほど認めているかという証拠を、何よりも具体的に相手から見せて貰《もら》いたがっている〟

と指摘していたが、ペネロペイアのような内向的才色兼備型こそ、えてしてこういうものを激しく待ち望んでいる。

そしてオデュッセウスみたいな、賢いけれど茶目っ気があり、深慮と無謀さとが同

時に備わっている男は、こういう女とよく性格が合うのである。私にはそんなカップルが眼前に髣髴《ほうふつ》とする。ペネロペイアは近在の田舎くさい若い衆くらいでは、とても代替ができなかったろう。

しかし、こういう女は一緒に生活していると男は思いのほか疲れてしまうんですね。浮気者のオデュッセウスは、いつまでこの女のそばにいられただろうか。二十年放浪した男の放浪癖はそう簡単になおるものではない。

「あたしは、二十年も貞操を守ったのよ」

と、恩着せがましく言われたのでは、オデュッセウスとしてもつらいでしょうなあ。

XI　星空とアンドロメダ

もう十数年前になるだろうか。東北に旅して磐梯《ばんだい》高原の五色沼にほど近い民宿に泊ったことがあった。

夜半にふと目醒《めざ》め、障子のすきまから夜空を覗《のぞ》くと、射《さ》すほどに鋭い星の光が見えた。

私は立ち上って窓を開いた。

満天に降る星たちの輝き。夜の静寂の中で何かを囁《ささや》くように光の眼を凝らしている。私は夜空にこれほど数多くの星が宿っていることを久しく忘れていた。

眺めているうちに、ふと芥川龍之介《あくたがわりゅうのすけ》の〝杜子春《とししゅん》〟の中の一節を思い出した。

杜子春は仙人に連れられて峨眉山《がびさん》の山頂に着く。〝よくよく高い所だと見えて、中空に垂れた北斗の星が、茶碗《ちゃわん》ほどの大きさに光つてゐました〟というくだりには不思議なほどリアリティがあった。

磐梯高原で見た星たちも心なしか私の目にはやけに大きく輝いているように映った。

――すごい星空だなあ――

私は裸足《はだし》のまま窓から外へ抜け出し、草の上に寝転がっていつまでもいつまでも飽かず眺め続けていた。いつしか星たちの位置がめぐり、東の空がうっすらと明るさを刷《は》いていた。

　星座というものに私は長いあいだ劣等感を抱いていた。今でもその感覚は多少残っている。

たくみな装飾をほどこした星座表などを見ると、夜の大空にはペガソス、アンドロメダ、白鳥、カシオペア、ペルセウスなどが群をなし、肩を接して乱れ住んでいる。こうした図案の中の英雄たちはいかにも伝説の主人公らしく、優美に、夢幻に描かれている。あの黒い空の中にこれほどの美しいイメージを宿すことができたらどんなにすばらしいだろうか。少年の日の私はことあるごとに首をめぐらして夜空を眺めたが、私の見る夜空には絵本の中の典雅なイメージをつきとめることはできなかった。

　──ぼくには星座を見る才能がないらしいな──

と、もどかしく思い、時には恨めしく思ったものだった。

　小学校四年生の頃、近所に住む腺病質《せんびょうしつ》の友だちに尋ねてみた。彼の家に珍しい天体望遠鏡があった。

「夜の空を見ててサ、あれは海蛇だとか、白鳥だとかわかるかい」

　彼は歯切れのいい東京弁で答えた。

「わかるよ。空にいっぱいいろんな動物が見えるじゃないか」

彼は毎晩そうした空の生き物たちに挨拶《あいさつ》を送ってから眠るのだといった。

「空の星がなにか合図を送ってくれることもあるんだぜ」

私などとは違って、彼は天翔《あまか》ける想像力を持った少年だったのかもしれない。彼の大きな瞳《ひとみ》はそうした空想にいかにも似つかわしい。戦火が激しくなり、彼とは別れ別れになり、今ごろどこでどうしているかわからない。彼もまた私と同じく四十余歳になったはずだ。今でも夜空に向って黒い瞳を輝かせ、挨拶を送っているのだろうか。それとももはやなんの感動もない、中年の〝ただの男〟に変ってしまっただろうか。

高校生になっても、まだ私は星空の絵模様にこだわっていた。

「おい、空の星を見てて、あれは双子《ふたご》だとか、蟹《かに》だとか、わかるか」

夏のキャンプ場で海を覆《おお》う夜空を見上げながら同行の友人に尋ねた。

「わかるもんか」

「わからんよなあ。よほど想像力が旺盛《おうせい》でないと、なかなかイメージが描けない」

「よっぽどひまなやつが考え出したんだ。刑務所に長く入っていると、壁の疵《きず》あともいろんな模様に見えて来るものなんだってよ。あれとおんなじことじゃないのか。昔の羊飼いかだれか、退屈で退屈で仕方のないやつが毎晩空を見てて考えついたんだろ」

「なるほどね」

この友人の言葉は半分くらい当っているかもしれない。

たとえば、だれでもが知っている北斗七星を例にとってみよう。これが大熊座《おおくまざ》という名の星座の一部だということもたいていの人が知っているだろう。

あの七つの星を見て、それを柄杓《ひしゃく》の形だと感ずるのは、ごく正常なものの見方だと言ってよかろう。だが、どこをどう眺めれば、あれが熊の形になるのだろうか。

ファンタスティックな絵図をそえた星座表で調べてみると、柄杓の柄の部分は熊の尻尾《しっぽ》に当るのだ。そして四角いおたまの部分は、熊の臀部《でんぶ》から背のあたり。牛肉ならさしずめランプやロースを取る部分である。肝腎《かんじん》の頭や四本の足はもっと光の弱い星となって散っている。尻尾とロースだけを見せられて、全体の像を想像するのは、むつかしくて当然だろう。

またカシオペア座はギリシア文字のΣ《シグマ》のような星群を中心とした星座だが、これは娘のアンドロメダを海の怪物に奪われた嘆きの王妃カッシオペイアの座像と見なければいけないのだから楽ではない。Σ型のうち、大きな屈曲が裳裾《もすそ》を引く脚のほう、そしてゆるやかな屈曲が女の背筋と、そんなふうにシルエットを当てた図案と、逆にゆるやかな屈折を腰から脚への線と考え、大きな屈曲を上半身と見る図案と、二つあるところを見ると、イメージの描きかたには個人差があるものなのだろう。

オリオン座はあの有名な三つ星が腰のベルト、それをウエスト・ラインにして上下に洋品売場のトルソーのようなものが眺められれば上出来のほう。これを頼りに美男の狩人《かりゅうど》オリオンを描くのもむつかしい。

文献を調べてみると、現在の星座名の発祥は遠くバビロニア時代にまで溯《さかのぼ》るらしい。占星術を重視した古代文明が星の観測に注意を傾けたのは自明であり、バビロニアから出土した石標には当時の星座表が美しく記してある。牡羊《おひつじ》、牡牛、双子、蟹、獅子《しし》、乙女、天秤《てんびん》、蠍《さそり》、射手《いて》、山羊《やぎ》、水瓶《みずがめ》、魚《うお》などの星座はこの時代に命名されて、今日に伝わっているものだ。

星についての学術はギリシアにも影響を及ぼし、ここでもさらに発達し、あらたにペルセウス、アンドロメダ、カッシオペイア、ケペウス、ケンタウロス、ヘラクレス、ペガソスなど神話の英雄や美女たちの名が加えられた。また大熊座、小熊座などもこの時代の命名だ。

当然のことながらバビロニアやギリシアでは、北半球の星だけが観察の対象となり、南半球の星座は知ろうにも知りえない。十五、六世紀以降、航海術が発達し、南天の星がヨーロッパ人に知られるようになって初めてバビロニアからギリシアへと受け継がれて来た星座表の中に新しい名前が加えられるようになった。コンパス、定規、時計、望遠鏡、羅針盤などの星座名はいかにもこの時代を髣髴《ほうふつ》させる命名ではあるまいか。

磐梯高原で久方ぶりに見事な星空を眺めたときの私は、少年の頃と違って多少は文献による知識として星座を見る技術を身につけていた。

少年時代には〝どうしても熊に見えない、牛飼いに見えない〟と、片意地を張っていたのだが、ギリシア神話についての知識が増すにつれ〝アンドロメダはどこにいるのかな？　ふん、なるほど、ペルセウスのそばにいるのか。へーえ、ペルセウスの脇《わき》に光っているのはメドゥサの首か〟と興味を覚え、点在する星を無理に繋《つな》ぎ、おおいに妥協をして物語の粗筋のままに大空を展望できるようになっていた。

たしかに現代人に比べれば、よほどひまのある人間たちが空想したものかもしれない。

——だが、待てよ——

とも思った。

古代人にとって夜は今よりもさらに暗く、星はさらに鮮明に輝いていたにちがいない。占星術の対象として、また旅の道しるべとして、星に対する関心と思い入れは私たちが想像しているよりはるかに深かったことは想像にかたくない。

しかも彼等は自然を擬人化して眺める技術をきっかりと身につけていたであろうし、夢想の能力も現代人よりずっと勝っていたにちがいない。

だから私たちよりはるかにたやすく夜空に美女と英雄と動物たちの姿を認めることができたのだろう。そして、いったんそこにさまざまなイメージの実在していることを確信してしまえば、さながらロールシャッハ・テストの奇っ怪な図形が仮面に見え、蝶《ちょう》に見えるのと同様に、星屑《ほしくず》たちの中に容易に一定の絵画を描くことができるのだ。

私は磐梯から帰ってもう一度資料を見直して、夜空の星たちを眺めてみようと思った。そして、可能の限り想像力を広げて、ギリシア時代の英雄と美女たちを数多くたどる方法を熟知しようと考えた。

この章ではこうした体験を拠《よ》り所《どころ》にして、いわばギリシア神話の落ち穂拾いとして、夜空の英雄たちを語ってみよう。

すでにこれまでの十章でおおよその英雄や美女たちについては触れただろう。ヘレネ、パリス、ヘクトル、アンドロマケ、カッサンドラ、アキレウス、ピュロス、オレステス、レダ、ヘラクレス、アドニス、ダフネ、オイディプス、アンティゴネ、オルペウスとエウリュディケ、シシュポス、タンタロス、デメテル、テセウス、アリアドネ、ダイダロス、イカロス、ミノタウロス、ディオニュソス、プロメテウス、エピメテウス、パンドラ、イアソンとアルゴー丸の船員たち、メディア、オデュッセウス、ペネロペイア、そしてゼウスを初めとするオリンポスの神々。いくぶん私好みの選択ではあったが、厖大《ぼうだい》なギリシア神話の中の著名なエピソードはおおかた取りあげたと思う。読者諸賢は右のヒーローとヒロインたちの中で、どれほどの数を記憶にとどめておられるだろうか。

これらの登場人物の中で夜空を飾る者はけっして数多くない。せいぜいヘラクレスとアルゴー丸くらいか。他にオリンポスの神々は惑星となって、

ゼウス　　　木星
ヘルメス　　水星
アフロディテ　金星
アレス　　　火星
クロノス　　土星

と、それぞれに名を残している。(クロノスはゼウスやポセイドンの父だが、いわゆるオリンポスの十二神には含まれていない)

ギリシア神話のエピソードの中で一番星空とかかわりが深いのは、ペルセウスとアンドロメダの物語であり、遅ればせながらここではこの著名な恋のいきさつを語らねばなるまい。

ペロポネソス半島の東側、スパルタの北方あたりにアルゴスの国があった。この国の王がアクリシオス。その娘が、白鳥のレダなどと並んでしばしば画題に用いられている美女ダナエであった。

アクリシオス王は、ある時、おのれの運命を神託に尋ねたところ、

「汝《なんじ》の娘の子によって殺されるだろう」

という恐ろしい知らせを受ける。

娘を殺してしまうのは不憫《ふびん》だし、それなら娘に子どもを生ませないようにすればいいのだと王は考え、青銅造りの塔に閉じ込め、男どもがけっして近づかないようにした。

だが、なんぞ知らん、この美少女を見そめたのは、例の浮気者のゼウスだったから、青銅の塔くらいではなんの役にも立たない。

ゼウスは黄金の雨と化して、青銅の塔に降りそそいだ。

「ああ、きれい、どうしたのかしら」

ダナエが金の糸となって落ちて来る異様な雨に魅入られて窓を開けたときには、ゼウスはやすやすと部屋の中へ侵入し、ダナエの膝《ひざ》に流れ込み交わりを完遂してしまった。

こうして生まれたのが英雄ペルセウスである。ダナエはしばらくはこの赤ん坊を塔の奥深くに隠して、けっして父に見られないようにして育てていたが、ある日赤ん坊の泣き声が外に漏れ発見されてしまう。ダナエとペルセウスは木箱に詰められ海に流されることになった。

地図を眺めると、アルゴスの東の海に、小さなセリポス島があるが、箱詰の親子は奇蹟《きせき》的に生きたままこの島に流れつき、島人に助けられ、やがてペルセウスはりっぱな若者に成長する。

セリポス島の王ポリュデクテスは、ダナエの美しさを見て、なんとかこれをわが物にしようと思ってかき口説くが、ダナエのほうはなかなか王の意にそおうとはしない。とこうするうちに王の館《やかた》で祝宴が開かれ、若いペルセウスも招かれてその席に出席した。他の客たちは馬などを手みやげにしてやって来たが、ペルセウスにはなにも贈り物をするものがなかった。

「まあ、よい。まだ年若いおぬしには、これと言った手みやげもあるまいて」

と、皆に嘲笑《ちょうしょう》され、ペルセウスは若気のいたりでついうっかりと、

「では、ゴルゴンの首でもお持ちしましょう」

と、口を滑らせてしまった。

ゴルゴンは海の果てに住む三人の怪女で、その醜怪な面差しは、見る者を一瞬にして石に変えてしまうという魔物だった。

かねてよりダナエに横恋慕していたポリュデクテス王は、息子のペルセウスが邪魔に思えて仕方がなかった。

――ペルセウスがいなくなれば、ダナエも私になびくかもしれないぞ――

こう考えた王は、ペルセウスの不用意な発言をすかさず押えて、

「ほう、ゴルゴンの首をみやげに持って来てくれるとな。それはおもしろい。早速持って来てくれ。さあ、早く、早く」

と、けしかけた。

九十九パーセントは死ななければならない危険な旅だとわかっていても、いったん口に出した言葉は実行しなければならない。それが当時の勇者たちの掟《おきて》だった。

「ああ、いいですとも、きっとゴルゴンの首を取って来よう」

ペルセウスはけなげに言い放って、旅立った。英雄が英雄であることを立証するた

めに、なにか際立《きわだ》った冒険を試みなければいけない時代であった。

この勇敢な美少年には力強い助力者が何人かいた。なにしろ血統的にはゼウス直系の子どもなのだから、ギリシア神話の中のサラブレッド、こういう男にはかならず神々の庇護《ひご》がついてまわる。

ゼウスの使者ヘルメスが、ゼウスになり代ってペルセウスに〝隠れ帽子〟と、〝飛行靴〟とを貸してくれた。この帽子をかぶると周囲を夜が支配し、追手はなにも見えなくなってしまう。〝飛行靴〟はその名の通りこれを履くと大空を自由に飛んで行くことができる。また首を切る鎌《かま》もヘルメスから譲り受けた。

女神のアテネが道案内を務めてくれ、ニンフのナイアデスが切り取ったゴルゴンの首を入れる丈夫な袋を用意してくれた。

ゴルゴンの居所を知っているのはグライアイという名の三人の老妖女《ろうようじょ》で、物を見る目は三人で一個だけ、物を食べる歯は三人で一つだけ。

「ほら、あそこにおいしそうなものがあるね」

「どれ、どれ、私にも見せておくれ。目を貸しておくれよ」

「ああ、おいしい、さあ、歯を貸してやるからあんたも食べてごらん」

と、さながら老人ホームで眼鏡と入れ歯を貸しあうようにして暮していた。ペルセウスはこの老女たちから眼を奪い、脅迫してゴルゴンのすみかを聞き出した。

海の果てに住む三人のゴルゴンたち、その名をステンノ、エウリュアレ、メドゥサと言い、いずれも醜悪な容貌《ようぼう》の持ち主。頭髪は蛇、猪《いのしし》の牙《きば》を突き出し背中には黄金の翼を持っている。この怪物を見た者は恐怖のあまりそのまま凍りついて石になってしまうのだ。三人の中で不死身でないのはメドゥサだけだと聞かされ、ペルセウスはこいつの首を狙《ねら》わなければいけない。

アテネが、

「いいかい、直接顔を見たらお前は化石になってしまうんだよ。だから、この楯《たて》を鏡のかわりに使っておやり」

と、磨きあげた青銅の楯を持たせてくれた。

ペルセウスが大海を渡って死の国のすぐ近くの洞窟《どうくつ》にたどりついたとき、三人のゴルゴンたちは眠っていた。ペルセウスは〝隠れ帽子〟で身を隠し、鏡の楯を使ってメドゥサの首を切り落し、ニンフのくれた袋に隠し、一目散に魔境をのがれた。他の二人のゴルゴンがあとを追ったが、例の〝隠れ帽子〟が闇《やみ》を作っているから見つけ出すことができない。夜空に輝くペルセウス座はこの時の情況と考えれば、古代人の空想にいくらか近づけるのではあるまいか。

その帰り道、ペルセウスはエティオピアの海岸で岩に鎖で繋がれた美姫《びき》アンドロメダの姿を見る。

話は横道にそれるが、かつて私の家の本箱に〝世界裸体美人全集〞の数冊があって、あれはだれの描いた絵だったのだろうか、肉感的なアンドロメダが岩礁《がんしょう》の上で全裸のまま鎖に縛られ、激しく身悶《みもだ》えしている一枚があった。遠くにペルセウスの姿が舞っていたと思う。アンドロメダには恥毛こそ記されてなかったが、下腹のあたりは成熟した女の裸形をあますところなく描きあげ、見るたびにエロティックな興奮を覚えたものだった。アンドロメダと聞くたびに私は今でも父の書斎でこっそりと眺めた一枚の絵と、人気ない静寂、そしてその折の妖《あや》しい胸の高鳴りを思い出す。そうだ、〝裸のマヤ〞なども同じように胸をときめかした一枚であった。

それはともかくこのアンドロメダだが、彼女はエティオピア王ケペウスと王妃カッシオペイアの娘であった。母親のカッシオペイアが大変な器量自慢で、

「世の中にはいろいろきれいな人がいるけれど、私くらいの美人はいないんじゃないの。言っちゃあわるいけど、海神ネーレウスの五十人の美しい娘たちの中にも私くらいの美女はちょっといないいんじゃないかしら。ウフフフ」

などと言ったからたまらない。

その五十人の美しい娘たち（ネーレイデスと呼ばれていたが）が怒り狂い、

「ひどい自惚《うぬぼ》れ。許せないわ」

祖父のポセイドンに頼んでエティオピアに津波を襲わせ、怪獣の蹂躙《じゅうりん》するままに委《ゆだ》ねた。

エティオピア王が驚いて神託を仰ぐと、

「娘のアンドロメダを怪獣の人身御供《ひとみごくう》に出さねばなるまい」

とのこと。泣く泣く娘を海辺の岩礁に繋いだのであった。

ペルセウスはこの異国の姫の美しさに一目惚《ぼ》れ。ケペウス王の館に行き、

「娘を助けて進ぜよう。首尾よく助けたときには私の妻として迎えたいが、よろしいか」

と、親の承諾を得たところで、アンドロメダを襲って来た怪獣に、メドゥサの首を突きつけた。

なにしろこれを見た者は、みんな石に変ってしまうのだ。怪獣とても例外ではなく、エティオピアの海岸には今でも巨大な怪獣の姿をした岩塊が残っているそうな。

めでたくアンドロメダを助けて妻としたペルセウスは母のダナエの住むセリポス島に帰ると、ここでは国王のポリュデクテスがいまだにダナエに恋情を抱き続けていて、

「腕ずくでもオレの女にせねば気がすまない」

と、兵を差し向け、拉致《らち》させようとしているところだった。

もうダナエも相当な年齢になっていたはずだから、それほど恋い慕ってくれる男がいるならば情けのひとかけらくらいかけてやってもよさそうなものだったのにと私は考えるのだが、ゼウスの思われ人は依然として気位が高い。

「いやよ。あんな田舎くさいおじんの王様なんか」

と、祭壇に逃げ込んだ。

当時の風習として祭壇の中へは兵を進められない。ポリュデクテスは神殿を遠まきに囲んで籠城《ろうじょう》攻め、そこへペルセウスが帰って来て、

「さあ、これを見るがよい」

と、またしてもメドゥサの首。ポリュデクテスも兵士たちも、「あっ」と口を開いたまま石と変った。

ペルセウスはその後故国に戻り〝隠れ帽子〟と〝飛行靴〟をヘルメス神に返上し、女神のアテネにはメドゥサの首を奉《たてまつ》った。アテネはこの首を自分の楯のアクセサリイに用いたと言う。

ペルセウスがアルゴスに戻ったと聞いて、祖父のアクリシオス王は驚いて国を捨て

て逃亡した。思い出していただきたい。ダナエの父なるアクリシオス王は、〃孫によって殺される〃という神託を昔受けていたので、いまだにそれを恐れていたのである。

もとよりペルセウスのほうには祖父を殺す意志など少しもなかったが、たまたま逃亡した祖父を探しに行った旅の途中で運動競技会にめぐりあい、ここで円盤を投げたところ、手もとが狂って見物の老人に命中。これがアクリシオス王であったことは言うまでもない。

XII　古代へのぬくもり

私の父は鋳物《いもの》の技術者であり、鉄工所の経営者だった。文芸的なものとはあまりちかしい職業ではなかったが、四十歳を過ぎる頃からにわかに読書の趣味を持つようになり、家中に書物を飾るようになった。読書の趣味と言うより蒐書《しゅうしょ》の趣味だったのかもしれない。

私はそんな環境の中で育った。

父には〝男子はエンジニアになるべし〟という堅い信念があって、幼い頃の私はこの教え通りに科学少年であり、将来は技術者になるつもりでいた。父がもう少し長く生きていたら、私が大学でフランス文学を専攻するなど到底ありえなかっただろう。

が、それはともかく中学生の頃の私の周辺にはふんだんに本が積んであり、積んであればちょっと覗《のぞ》いてみたくなる。まず推理小説を次から次へと読み漁《あさ》った。ヴァン・ダインの〝グリーン家殺人事件〟、エラリ・クインの〝オランダ靴の秘密〟〝Yの悲劇〟、ジョンストン・マッカレーの〝地下鉄サム〟などは今でも記憶によく残っている作品だ。

落語全集も愛読した。本で読んだ落語だから〝円生がどうの、円歌がどうの〟といった知識は皆無に近いのだが、たいていの落語の粗筋くらい今でもよく覚えているのは、やはり若い時代の軟かい脳味噌《のうみそ》による読書の賜物《たまもの》だろう。

ガラスを張った本箱の下段には、世界美術全集が並んでいて、これを開けば女性の裸体画がたくさん載っている。当初は美術的な関心よりもむしろエロティックな欲望にそそのかされて熱心に眺めたのだが、やはりことのついでに絵の説明のほうも読んでしまう。裸体画はギリシア的テーマを扱ったものが多いから、こうした経過をへてギリシア神話への興味が少しずつ培《つちか》われた。動機は不純だったが結果として得たものはわるくなかった。

とこうするうちに私は田舎の中学を卒業し東京の高等学校へ入った。先生も生徒も私を取り囲む人たちがみんな偉そうに見えて仕方がない。社会科の授業を受けると、この教師がいっぷう変っている。本来の一般社会の講義はいっこうに教えてくれない。古代ギリシア史の研究家だったらしく、

「ギリシアの兵士はこうやって足を曲げずに行進したんだ」

と、教壇の上で実演をして見せてくれた。

話の中にあまりにもしばしばホメロスの〝イリアス物語〟や〝オデュッセイア物語〟のことが話題にのぼるものだから、しかもまわりの連中は格別不思議そうな顔も

せずに聞いているものだから、

——どうやら東京の人はみんな知っているらしい。知らないのはオレだけだぞ——

と、あわてて本を買って来て読んでみた。

あとで尋ねてみれば、あの時点でホメロスの著名な物語を実際に読んでいた者はクラスの中にほとんどいなかったようだ。

〝イリアス物語〟も〝オデュッセイア物語〟もけっして楽しいばかりの読み物ではなかったが、なにしろ裸体画のほうで部分的な話を熟知していたから、馴染《なじ》み易《やす》いところもあった。下宿生活をしていて、退屈な時間が山ほどあったのも幸運だったろう。読み終えてみると、古代ギリシアが身近にあった。

アメリカ映画〝トロイのヘレン〟を見たのもこのころだったろうか。絶世の美女ヘレネにだれを配したらよいか、ハリウッドが全勢力を傾けてたずねたすえ文字通りの超美人ロッサナ・ポデスタを見出《みいだ》したいきさつは映画史に残る名高いエピソードだが、映画そのもののほうも充分に見応《みごた》えがあった。パリスとヘレネが絶壁のてっぺんから海へ飛び込む場面、そしてまたトロイア城炎上の場面などすばらしい迫力だった。

本腰を入れてギリシア神話を読み、ホメロスの物語を再読したのは、高校生活も終りになってからだったろう。

今、思い返してみれば、推理小説も落語全集もギリシア神話も私の現在の仕事にさまざまな形で影響を残している。若い脳味噌はいつどこでなにを養分にして育つものか計り知れない。

ギリシア神話の主要な部分はすでに先史時代に作られていたと推定されている。紀元前三千年頃から地中海のクレタ島を中心にして、いわゆるクレタ文明が繁栄し、これがギリシア本土にも影響を与えた。やがて北方からアカイア人が侵入して来て、ミケネー文化を創《つく》る。さらに紀元前千年頃にドリス人が南下して来てギリシアを征服する。こうした諸民族の混合の中から生成発展淘汰《とうた》された伝説群が、現在に残るギリシア神話である。

もともと発生の異なる物語が融合されて出来たものだから首尾一貫しないところがあるのは当然のこと。しかもいろいろな変形《ヴァリアント》がある。どこからどこまでが〝本当のギリシア神話〟なのか断定しにくいところもある。と言うより、紀元前八世紀の詩人ヘシオドスが書いた〝神統記〟、ホメロスの〝イリアス物語〟〝オデュッセイア物語〟、さらに古代ギリシアの三大悲劇作家アイスキュロス、ソフォクレス、エウリピデスの戯曲などを中心に、その他多くの古い文献を資料として〝多分古い時代にはこんなふうに語られていただろう〟と推定して作りあげた物語群、それがいわゆる〝ギリシア神話〟と呼ばれるものの実体だ。決定版とも言うべき一書が存在しているわけではない。

複雑多岐にわたっているギリシア神話ではあるが、大まかに分けてみると、次の五つの物語群にくくることができるだろう。

1　オリンポスの神々の伝説
2　アルゴー丸遠征隊の伝説
3　英雄ヘラクレスの伝説
4　テーバイの伝説
5　トロイア戦争の伝説

まず初めの〝オリンポスの神々の伝説〟だが、これは神話の中のもっとも神話らしい部分といってもよかろう。天地の生成から始まって神々の誕生までの経緯を略記すれば——

まず初めにカオス（混沌《こんとん》）があった。このカオスは暗いと言っても闇《やみ》ではなく、だんだん浅くなっていく眠りのようにドローンとした、正体不明の状態である。このカオスの中で重いものが下にさがって〝胸の広い女神〟ガイア（大地）が生まれた。陸地を擬人化したものと考えてよかろう。次いで〝魂をやわらげる〟エロス（愛）が誕生した。またカオスからエレボス（闇）とニュクス（夜）が生じ、この二つからアイテル（天上の光）とヘメラ（地上の光、昼）とが生まれた。ガイアからウラノス（天空）とポントス（海）が生まれ、さらにガイアはウラノスと交わってティタン族という五人の男神と六人の女神を生み、最後にこれから始まる物語の主人公とも言うべきクロノスを生んだ。ああ、ややこしい。

ギリシア神話という名の本を繙《ひもと》くとたいていこの天地創造の部分から話が始まるのだが、このくだりにはなにほどかの寓意《ぐうい》性はあるものの物語としてはまだ未成熟なところが目立って、それほど楽しいものではない。混沌の中から少しずつ人間たちが棲《せい》息《そく》するにふさわしい大地と空と海と、生殖の根本とも言うべき愛が生まれ、人間の先祖としての神々の営みが始まった、と理解しておけば当らずとも遠くはあるまい。

さてクロノスはいったん世界の支配権を得たものの予言により〝お前は自分の子どもによって権力を奪われるだろう〟と知らされていたので、これが恐ろしくてたまらない。妻のレアとの間にヘスティア、デメテル、ヘラ、ハデス、ポセイドンと、次々に子をもうけたが全部腹の中に飲み込んでしまった。

母親のレアとしては、これがおもしろかろうはずがない。ゼウスを身《み》籠《ご》ったときにはクレタ島へ行ってこっそり生み、一方石で赤ん坊の形を作って、これをクロノスに飲み込ませた。

　ゼウスは無事に成長し、薬草の力でクロノスが飲み込んだ兄姉たちを吐き出させた。父に恨みを持つゼウスたちはオリンポスの山にたてこもり、一方、父のクロノスは他のティタンたちと一緒にテッサリアの山に陣を張り、争いは十年間続いたが、結局ゼウス軍が大地の神ガイアの助力を得て予言通りに父を滅ぼし、世界の支配権を握ることとなった。ゼウス、ポセイドン、ハデスの三男神はくじ引きにより支配する領域を分配し、ゼウスが地上を、ポセイドンが海を、そしてハデスが冥府《めいふ》を担当することとなった。三人の女神のうちヘスティアはかまどと火をつかさどる神となり、デメテルは収穫の神、ヘラはゼウスの妻となり、女神の中の最高位に登った。

　間もなくゼウスとヘラの間にヘパイストスとアレスが生まれた。ヘパイストスは火山と鍛冶《かじ》の神、アレスは軍神である。ゼウスはけっして本妻とばかり交わっていたわけではなく、レトと関係して、ここでは太陽神にして芸術と医術をつかさどる男神アポロンと狩猟と出産の女神アルテミスをもうけている。またマイア、メティス、デオネ等と交わって、ヘルメス、アテネ、アフロディテを作った。ヘルメスはゼウスの秘書役で商業と交通が担当。アテネは知恵と芸術の女神。そしてアフロディテは美と愛をつかさどる女神である。オリンポスの十二神とは、以上のようにゼウスの兄弟姉妹と息子と娘たち、それに別格として酒の神ディオニュソスを加えたもので、まあ、ゼウス一家に書生が一人加わったような構成と考えていただきたい。指折り数えてみると十二より多くなるが、ヘスティア、ハデス、ディオニュソスのどれかを除いて数をあわせるのが通例だ。

これらの神々がそれぞれのエピソードを持っているわけだが、とりわけよく登場するのは、浮気者のゼウスにやきもちやきのヘラ。ゼウスはあちこちで女に手を出し、子どもを作る。ヘラは夫のゼウスに逆らうことができないから、生まれた子どもたちに罰を加える。白鳥のレダ、アルクメネ、ダナエの物語などはすべてこうしたパターンの物語に属するものだ。

またゼウスとはべつにアポロン、アフロディテ、デメテル、ディオニュソスなども有名なエピソードをいくつか持っていて、これらもまた巨大なギリシア物語群の一つの部分を構成している。神々のエピソードには恋愛譚《たん》が多いのだが、そこから生まれた子どもたちの物語も（ヘラクレスの話は別扱いとして）この〝オリンポスの神々の伝説群〟に分類しておいてよかろう。ペルセウスとアンドロメダ、諸悪の根源となったパンドラの壺《つぼ》、オルペウスとエウリュディケの悲しい恋などは、この区分に属するものと考えてよい。

先に述べたギリシア神話群の五つの区分のうち残りの四つは比較的わかりやすい。軸となる大きな説話が一つあって派生的なものが少ない。〝アルゴー丸遠征の伝説〟は、イオルコスの王子イアソンが黒海の果てまで金の羊毛皮を捜しに行く冒険譚であり、狂恋の女メディアの悲劇がこれに続く。

〝英雄ヘラクレスの伝説〟は、ゼウスの子にしてギリシア神話中第一の勇者ヘラクレスの十二の冒険譚が軸となっているものだが、この冒険譚は古代のそれぞれの民族が持っている英雄譚をギリシア神話の中に統合したものだろう。

〝テーバイの伝説〟は、あの名高いオイディプスが生まれ、統治し、のちに追われた国がテーバイであった。ギリシア神話のエピソードの中でも際立《きわだ》ってドラマティックな要素を含んでいるので、しばしば後世の文学作品に――とくに演劇に取り入れられている。オイディプスの娘アンティゴネの物語も当然ここに含まれるものだ。

しかし、ギリシア神話の数多《あまた》の物語の中で一番広く愛好され、後世に大きな影響を与えたものと言えば、やはり〝トロイア戦争の伝説〟を挙げなければなるまい。ホメロスが歌い、それが十九世紀の一人のドイツの少年の心を捕らえ、やがて歴史上の大発見の幕開けとなった事実は、だれしも一度は聞いたことがあるにちがいない。

その少年の名はハインリッヒ・シュリーマン。彼は一八二二年にドイツの小さな田舎町に生まれた。父はこの町の牧師だった。ドイツの田舎町は深い森に囲まれ、あちこちに崩れた廃屋があって夢見がちの少年の心を揺すらずにはおかない。ハインリッヒはすべての幼い子がそうであるのと同様に空想の物語と現実の区別がつかないままに育った。

七歳になったとき、父親がトロイア戦争の伝説を話してくれた。ハインリッヒには判官贔屓《ほうがんびいき》の傾向があったのかもしれない。敗北したトロイア方におおいに同情し、落城の話を聞いて涙を流した。

「馬鹿《ばか》だな。これはみんな作り話で、本当にあったことじゃないんだよ」

と、父が慰めたが、少年は首を頑《かたく》なに振って承知しようとしなかった。

翌年、父から〝子どものための世界歴史〟という本を贈られて、ページをめくって見ると、その中にトロイアの城壁を初めとして、父から聞いたさまざまなトロイア戦争の情景が描かれている。少年は小躍りをして、

「父さん、これを見て。父さんの間違いだよ。この本を書いた人はきっとトロイアを見たんだ。見なかったらとてもこんなにすごい挿絵なんかかけっこないよ」

と、口を尖《と》がらせた。

「いや、そうじゃない。ただの想像図さ。昔はあったかもしれないけど、今はあとか

たもありゃしない。だれも見た人なんかいない」

「でも、昔あったのなら、今でも土の中に埋まっているはずでしょ。こんなに大きなお城がぜんぜんなくなってしまうはずがないもん」

少年は来る日も来る日も同じことを考え、同じことを主張した。そして、最後は、

「じゃあ、ぼくが大きくなったら、きっと発見してみせるよ」

と告げ、父は苦笑を浮かべながら、

「うん、それがいい」

と答えるのだった。

ホメロスが歌った〝イリアス物語〟と〝オデュッセイア物語〟は――前者はトロイア戦争十年間の叙事詩であり、後者は戦場から故国へ帰るオデュッセウスの十年間の漂流譚だが――どちらも当時の人々に広く親しまれていたが、これが歴史上の事実を基にして作られたものとはだれも考えていなかった。ホメロスという名の紀元前九世紀頃に実在した詩人が空想し創造した架空の出来事と考えていた。

だが、ハインリッヒだけはけっしてそうは考えなかった。そしていつの日かきっとトロイアの遺跡を発掘し、あの雄大な物語がすべて事実であったことを証明したい、証明せずにおくものか、と信念を燃やし続けた。

牧師の子は経済的にはけっして恵まれていなかった。むしろ貧乏のドン底にあったと言うべきだろう。食料品店の小僧を振り出しにさまざまな職業に就き、苦労を重ねた。

シュリーマンの伝記を読むと、彼は言語については特別な才能を持った人だったろう。苦しい生活を続けながらも語学の勉強を怠らない。英語から始めてフランス語、オランダ語、スペイン語、イタリア語、ポルトガル語、ロシア語、スエーデン語、ポーランド語、ギリシア語と、次々にほとんど独学でマスターしてしまう。

ハインリッヒがみずから語っているところによれば、

「私はこのとき必要にせまられて、外国語習得法を一つ見つけたが、この方法を用いると、どんな外国語でもひじょうにらくに覚えられる。このかんたんな方法というのは、なによりもまずこうである。声をだして多読すること、短文を訳すこと、一日に一時間は勉強すること、興味あることについていつも作文を書くこと、その作文を先生の指導をうけて訂正し暗記すること、まえの日に直されたものを覚えて、つぎの授業に暗誦《あんしょう》すること」（佐藤牧夫氏訳〝古代への情熱〟角川文庫）

である。なるほど、これならばきっと上達するだろうが、果して簡単な方法と言えるかどうか。この方法を〝簡単な〟と言いきり、軽やかに実行したところに、やはりハインリッヒ・シュリーマンの常人とは異なった才能があったのだろう。

辛苦のすえ商人としても成功し、運にも恵まれて彼は相当な資産を作った。時に四十一歳。商人としては働き盛りであったが、彼はいつまでも実業界に身を置こうとはしなかった。

「一八六三年の暮に、私は幼年時代から心にいだいてきた理想をいまや雄大な規模で実現できると考えた。私はごたごたした商人の暮しを忙しく送っていたが、たえずトロイアを思いつづけ、いつかトロイアを発掘すると父とミンナ（幼馴染《おさななじ》みの少女）に約束した一八三〇年の申しあわせを忘れていなかった。なるほどこのとき私の心は金銭に執着していたが、それは金銭をこの一生の大目的を為《な》しとげるための手段とみなしていたからである」（〞古代への情熱〟）

と、告白しているように、商売から完全に身を引いてトロイアの発掘に向った。

幼い日に抱いた夢を実現するためにまず商人となって資金を作り、その予定通り資金を作ったところで商売を捨てて理想の実行に生涯を賭《か》けるというのは、並みたいていの意志で完遂できることではあるまい。この信念の持ち主から見れば、先に述べた語学習得法などはまことに〞簡単な〟ものだったろう。

ところでハインリッヒ・シュリーマンは商人としてビジネスに励んでいる最中にも、

ホメロスの二つの叙事詩を何度も何度も熟読していた。彼はこの厖大《ぼうだい》な詩篇をすべて真実を詠《よ》んだものとして信じ込み、細かい部分に到《いた》るまで暗誦していた。

そして、資金を作ってトロイア地方に渡ったとき彼の心の中にあったのは〝伝説はすべて事実であり、その確信に従って遺跡を求める〟ということであった。ここが他の発掘者とおおいに違っている点である。

珍妙な連想かもしれないが、私はテレビ・ドラマで人気のあるコロンボ刑事をふと思い出してしまう。

あのドラマを一度でも見たことのある人ならきっとお気づきと思うのだが、この薄汚れたレインコートの刑事は、なぜか殺人事件の現場に駈《か》けつけた瞬間から犯人を知っているらしいのである。だれが犯人か、根強い確信を持っているのである。だから彼の仕事はただその犯人がどうやって殺人を実行し、それを刑事の立場でどうやって暴《あば》き、証拠づけ、犯人をおそれいれさせるか、そこにだけかかっている。他の刑事たちが、なんの先入観もなく犯人を捜すのとはまるで違っている。

シュリーマンの発掘もこれとよく似ていた。彼の確信が一番よく現われているのは、トロイア城のあった位置としてヒサルリクの丘を定めたことであろう。それまでの通念では、もしトロイアの城が現実にあったとするならば、ピナルバシの丘――エーゲ海寄りの海岸から西へ八キロ、ダーダネルズ海峡のほうから南へ十キロほどの位置にある丘と考えられていたのだが、シュリーマンは、

「これではホメロスの物語に書いてあることと矛盾する」

と、判断した。

彼は〝イリアス物語〟の細かい詩句を思い出したにちがいない。ギリシア軍は海岸に陣営を張っていた。トロイア軍は当然丘の上にいた。両軍の間でたびたびおこなわれた使者の往復、戦場における進退の情況、おたがいに敵の陣営の松明《たいまつ》が見えたこと……などなどから推察して、海岸から直線距離で八キロ、ギリシア軍の陣営があったとおぼしきあたりから十五キロもあるピナルバシの丘は遠過ぎる。また、ピナルバシの丘は巨大過ぎて「アキレスがヘクトルを追って城壁をぐるぐると三度も廻った」という記述にもそぐわない。

そう考えたシュリーマンは、ピナルバシの丘よりもっと海に近く、丘の規模も小さいヒサルリクの丘こそホメロスの記述に適《かな》っていると判断した。この丘ならギリシアの陣営まで五キロ足らず。その他付近を流れる川の様子や眺望などもはるかにこちらの丘のほうがふさわしい。

結果としてシュリーマンのこの判断は適中したわけだが、その判断にだけ賭けて宝

捜しの大事業をおこなったのだ。シュリーマンがどれほどホメロスの物語を信じていたか、その傾斜ぶりがよく理解されるだろう。むしろ〝盲目的〟と言ってよいほどに信じ込み、その信念に神が祝福を与えたと言うべきかもしれない。

もとより簡単な発掘作業ではなかった。しばらくは目ぼしいものは現われなかった。それにも懲《こ》りずにシュリーマンが執拗《しつよう》に掘り続けたのは、これもまた〝ここにトロイア城があったのだ〟という信念以外のなにものでもなかっただろう。この地方の冬は寒く、厳しい。夏はまた暑さのため仕事の進捗《しんちょく》はにぶる。発掘の時期は限られていたし、またトルコ政府もしばしば頭の堅いことを言って作業をさまたげた。

発掘を始めて三年目、ようやくそれらしい遺跡にたどりつき、少しずつ核心部に近づく。

ある日シュリーマン夫妻が作業現場に立って発掘を見守っていると、大きな銅器が現われた。作業員たちはみんなそれに目を引かれていたが、シュリーマンはその背後にかすかに金色にきらめくものを認めた。シュリーマンは妻（ギリシア人であった）に向って、

「パイドス（休憩）と叫びなさい」

「まだ七時ですよ」

「とにかくパイドスと言いなさい」
人夫たちに休憩を命じ、シュリーマンは妻と二人で掘り進む。次々に輝かしい財宝が――夢にまで見た古代の証左が土の中から躍り出て来た。この時、掘り出した遺物を夫人の首に巻いた大きなショールに包み隠して持ち帰ったというエピソードは微笑《ほほえ》ましい。

かくてシュリーマンの発掘はますます本格的に進められることとなるのだが、実は最初の発見はいわゆるトロイア戦争の頃の遺跡ではなかった。その後、たび重なる調査の結果、この地域には第一市から第七市までの町が複雑な層を作って埋まっていたことが明らかとなり、初めの発見は第二市、本当のトロイアは第六市とわかるのだが、これら考古学的な知識は本稿のテーマではない。

シュリーマンは、初めこそ自分の信念を頑なに信じて行動する人であったが、長い期間にわたる発掘の途中からは、専門の考古学者たちの意見にもよく耳を傾け、学術的な判断を優先させるように変った。つまりただの一徹な狂信の人ではなかったわけであり、頑固さと併存したこの柔軟さは注目すべきものではあるまいか。ついでに言えば、彼は古代への情熱のためにこの途方もない仕事を始めたのであって、その成功から派生的に生ずる金銭的な利益にはまったく興味を示さなかった。

シュリーマンの発掘を端緒として、ホメロスの物語がけっして架空のものではなかった、と知られるようになり、ついでアーサー・エヴァンズがクレタ島の発掘を成功させて、古代史に新しい光がどんどんと射《さ》し込み、ギリシア先住民族の歴史が明らかになった。

一人の少年の夢が、消え去った世界をまのあたりに再現する契機となる――これほど壮大なロマンはめったに存在するものではあるまい。

私は、この原稿の初めに、私とギリシア神話との出会いを書いた。もとより私にはシュリーマンのような途方もない情熱もなければ才腕もない。彼は一種の異能人間であり、人類の長い歴史の中でもそうちょいちょい現われる人格ではあるまい。私自身はと言えば、ギリシアの物語についてほんのぬくもりのような関心を持っているだけだ。

ただ少年の若い脳味噌《のうみそ》にとって、読書がどんな影響を与えるものか、私にもいくらか覚えのあることなので、シュリーマンの前座として、ささやかな個人的体験を述べてみただけである。

物書きが本業になってからは一カ月に五冊から十冊の本を読む。熟読型のほうなので、たいてい丁寧に読むのだが――そして、本に書いてあることはたしかに一通り理解するのだが、昔のように胸が弾むような感銘を受けることは少ない。なにがしかの影響を受けることがあったとしても、それは〝この本を読めば、こんな影響を受けるだろう〟と、理性的に予測もつくし、納得のいくものばかりだ。瓢簞《ひょうたん》から駒《こま》が出るような効果はけっしてない。

脳味噌をコンピュータにたとえることが許されるならば、若い頃の読書には、コンピュータの機種決定にかかわるなにかがあるのではないか。いったん機種が決定してしまうと、そう飛躍のある演算はできない。

少年の頃にギリシア神話にめぐりあったのは私の脳味噌の機種のありかたに、たしかに微妙な変化を与えているようだ。美しいものへの関心、物語《ロマン》への傾斜、運命についての考え方、いや、そんな明確なことばかりではあるまい。ある種の文化精神が自分でも気づかない形で浸《し》み込んでいるにちがいない。

解説

伊藤洋

「マラソン選手○○が練習中にアキレス腱《けん》を切り、モルヒネ注射で激痛を抑えたが、ついにオリンピック出場は断念した」

いま、仮にこんな新聞記事があったとしよう。ここに出てくるカタカナの語はすべて古代ギリシアと関係がある。

「マラソン」はアテネ北東約四十キロ離れたマラトンという地名からきたもの。紀元前五世紀、ペルシア戦役のとき、一兵士がマラトンの原野をアテネまで走り続けて勝利を報告して絶命したという故事にちなんで、近代マラソン競技が始まったことは有名である。「アキレス腱」は本書にも出ている神話に基づいたもの。「モルヒネ」はギリシア神話中の夢の神モルペウスの名をとったもの。夢のように痛みをやわらげてくれるところから、十九世紀に発見された麻酔性鎮痛剤の名になったのだろう。「オリンピック」が古代ギリシアで四年に一度、守護神ゼウスに捧《ささ》げられたオリュンピアの祭典競技に由来することは言うまでもない。

このほかにも、アテネの広場で生まれたデモクラティア（民衆の支配）から来た「デモクラシー（民主政治）」をはじめとして、ギリシア神話、ギリシア語、地名に由来する日常語、科学技術用語などは、われわれのまわりに数限りない。阿刀田氏も描いている美しい声の魔女セイレンに由来するパトカーなどの「サイレン」、地名から来た「スパルタ教育」、レスボス島の名に由来する「レスビアン（またはレズ）」、ギリシア文字を使って円周率を「パイ（π）」、河口の三角州（女性の陰部も）を「デルタ（Δ）」と言うなどさまざまである。

紀元前五〜四世紀を盛時とする古代ギリシアは、歴史的に遠い現代日本のわれわれにとって、地球の反対側でもあり、はるかかなたにしか思えない。それなのにわれわれの日常生活にこれほど深く浸《し》み込んでいることは、とりもなおさずギリシア文明の偉大さ、栄光を物語るだろう。

ギリシアはバルカン半島の南端と周囲の大小多数の地中海上の島々から成る国で、総面積約十三万平方キロというから、日本の約三分の一強、人口は約八百八十万という小国である。気候は温暖で、オリーブ、ぶどうを産するが、経済的には決して豊かではない。現代ギリシア語と古代ギリシア語は、別の国の言語のように異なっており、人間もまた現代と古代とでは大きなへだたりがある。

しかし古代においてもおそらく経済的には、今以上に恵まれてはいなかったろう。古代ギリシア人は奴隷制《どれいせい》を保ってはいたが、盛時には民主政治を生み、自由平等の市民精神を有していた。彼らは政治的、宗教的、道徳的思索をほとんど無制限に許され、言論は自由であった。

古代ギリシア人は人間を、その本能、能力、衝動のありのままで受入れ、世界の基本、中心と考えていた。「人間は万物の尺度なり」（プロタゴラス）は彼らの人間観を要約している。彼らの神人同一型の宗教も、のちに述べるギリシア神話の「人間的」なことも、そこに由来する。戦争を中断してオリュンピア競技をしたり、野外の大劇場でアイスキュロス、ソポクレス、エウリピデスの悲劇や、アリストパネスの喜劇を楽しんでいた彼らは、経済的には貧しくとも、精神的な豊かさを求め、人間らしい生活を重視していたのだろう。

ぬけるように青い空、紺青《こんじょう》の海、乾いた土、たわわに実ったオリーブ、そして白い大理石のパルテノン神殿をいただくアクロポリスの丘、そのふもとに広がるディオニュソス大野外劇場、これらを背景に古代ギリシア人は人間としての理想を夢みていた。

こんな世界でギリシア神話ははぐくまれた。阿刀田氏も言うように民族の移動とともにあちこちの土地の神話、伝説が伝播《でんぱ》し、融合されていったから、今日ギリシア神話と呼ばれるものは多種多様、複雑である。

天空の神ゼウスは北方からくだってきた男神と思われるが、各地の天空神を一身に吸収して巨大な支配権を持つ最高の神となった。これに対して各地の女神は一身に統一されなかったから、ゼウスは各地に無数の女神の妻を持つことになった。彼が生まれたと称する土地もあちこちにあるし、彼の性格、機能も複雑である。矛盾にも満ちている。一方、都市などは神々の子に最初の祖を求めたから、ゼウスには人間の女やニンフとの交わりによる子供が非常に多い。それをゼウスの「浮気」ということで辻《つじ》褄《つま》を合わせている。

このように個々別々の無数の神話を、一大神話大系にまとめあげたのが古代ギリシア人である。その詩的才能は驚くべきものといえよう。その多彩豊富な神話、物語は、西洋古代の思想、文芸は言うまでもなく、ルネサンス以降の文学、芸術にも多大な影響を及ぼしている。

ギリシア神話には大きく分けて三種類ある。(1)詩的想像力によって事物の起源を語るもの、⑵歴史的要素を持つもの、⑶小説的、物語的なものである。

⑴はたとえば本書の「Ⅳ　恋はエロスの戯《たわむ》れ」で語られている月桂樹《げっけいじゅ》の起源（アポロンに追跡されたダフネが変じたもの）などである。⑵は「Ⅰ　トロイアのカッサンドラ」のようなトロイア戦争の発端を語る神話である。⑶は「Ⅸ　狂恋のメディア」に出てくる薬草の話のように多分に魔術的、物語的要素を持ったものである。多くの神話はこれらすべてにまたがっている。

ギリシア神話の全体的な特徴の一つは、前にも触れたように「人間的」ということであろう。世界を創造したのも神という絶対者ではなく、どろどろしたカオス（混《こん》沌《とん》）から「重いものが下にさがって〝胸の広い女神〟ガイア（大地）が生まれ……、次いで〝魂をやわらげる〟エロス（愛）が誕生した」のであり、自然にそれぞれの地位について成り立ったものである。神々といえどもそのあとに生まれた。しかも「ガイアはウラノスと交わってティタン族という五人の男神と六人の女神を生み」（Ⅻ　古代へのぬくもり）というように神々も必ず男女の交わりから生まれている。まさしく人間の姿の反映であろう。先ほど述べた大神ゼウスの浮気、ヘラの目を盗んであちこちの女に手を出すなども人間的ではないか。ここでは神々はすべて人間化されているのである。

このことはキリスト教の神と比べてみると、もっとはっきりする。聖母マリアは処女懐胎であるし、キリスト教の基となったユダヤ教の「旧約聖書、創世記」には「はじめに神天地を創《つく》りたまえり」とある。

ギリシアの神々は聖性に乏しいかもしれないが、それだけ人間くさく親しみやすい。しかもその神々は人間同様に男女の愛に喜んだり、悩んだりし、愛の神話も数多い。のちの文学者たちがこれらの神話のエピソードを自分の作品に取り入れたのも当然であろう。

阿刀田氏とは私は光栄にも大学の仏文科で同じクラスであった。比較的親しくしてもらい、授業でも隣に坐《すわ》ることが多かった。ある時私たちは友人たちと四人で同人雑誌を出す計画をたて、誰かの下宿で真剣に語り合ったことがある。結局この同人雑誌は日の目を見なかったのだが、その時各自が何を書きたいか、希望を出し合った。阿刀田氏は即座に「評論だ」と言った。ちょうど四人の書きたいジャンルが小説、詩、評論、戯曲となって、重複しないことがわかったが……。その後何回か話し合ううちに、阿刀田氏が日本のものも含めて、古典文学にかなり造詣《ぞうけい》が深く、それを土台に文学評論を書く意欲のあることがわかった。彼は小説家的才能と同時に、批評家的観点への興味も若い頃から持っていたのである。

矛盾に満ち満ちた複雑多岐なギリシア神話からいくつかの興味ある話を抜き出して、入門書的なものを書くには、取捨選択の際にどうしても批評眼が必要であろう。阿刀田氏はそれを持っている。

本書の特徴は批評家的視点で、数ある物語、伝説を取捨選択して、大きな矛盾を見せずに、しかも有名なものは網羅しつつ、ギリシア神話の輪郭をくっきりと映し出したこと、その間に自分の評論的なものも忍び込ませたことである。「II　嘆きのアンドロマケ」の中の「三・一致の法則」についての解説、「V　オイディプスの血」の中に出てくる一種のパロディ論、「X　幽愁のペネロペイア」の中の北原武夫《たけお》論、「XII　古代へのぬくもり」のシュリーマン紹介など、ギリシア神話と直接かかわりがないのに、それとは気づかせないうちにさらりと説いていて見事である。

ラシーヌの悲劇（II　嘆きのアンドロマケ）、ジロドウの喜劇（III　貞淑なアルクメネ）、ソポクレスの悲劇（V　オイディプスの血）、カミュ監督の映画（VI　闇《やみ》のエウリュディケ）など文芸作品を素材にして神話を探ったことも著者の批評家的視点といえよう。

それと同時に作家的想像力でせりふを細かく描写する。ディオニュソスがべらんめえ調で「フーン、ミノタウロスを一撃で倒したのか。そいつはおもしれぇや。まあ、一ぱい飲め。……」（Ⅶ　アリアドネの糸）とテセウスたちに語りかけるのなどは、ほかのギリシア神話の本には出て来ないだろう。いかにも酒の神らしいではないか。

本書の神々や人間たちの語るせりふが生き生きしているのは、阿刀田氏のこれまでの小説作歴からいっても当然かもしれない。しかも各編をほとんど自分との関わりから説き起こして、神話をより身近なものと感じとらせる工夫もされていてあざやかである。特に「Ⅻ　古代へのぬくもり」には彼自身の生い立ちもまじえられ興味深い。

本書の読者はおそらく小説、随想、評論の入りまじったものを読みながら、知らず知らずのうちにギリシア神話の森に分け入っているだろう。もっと詳しくギリシア神話をお読みになりたい向きは、呉茂一《くれしげいち》著『ギリシア神話』上下巻（新潮文庫）、もしくはブルフィンチ作野上弥生子《のがみやえこ》訳『ギリシア・ローマ神話』（岩波文庫）などによられたら良いだろう。

（昭和五十九年五月、早稲田大学教授）

この作品は昭和五十六年九月新潮社より刊行された。

新潮文庫最新刊

畠中恵著
いちねんかん

両親が湯治に行く一年間、長崎屋は若だんなに託されることになった。次々と降りかかる困難に、妖たちと立ち向かうシリーズ第19弾。

早見和真著
ザ・ロイヤルファミリー
山本周五郎賞・JRA賞馬事文化賞受賞

絶対に俺を裏切るな——。馬主として勝利を渇望するワンマン社長一家の20年を秘書の視点から描く圧巻のエンターテインメント長編。

奥田英朗著
罪の轍

昭和38年、浅草で男児誘拐事件が発生。人々は震撼した。捜査一課の落合は日本を駆ける。ミステリ史にその名を刻む犯罪×捜査小説。

藤原緋沙子著
冬の霧
—へんろ宿　巻二—

心に傷を持つ旅人を包み込む回向院前へんろ宿。放蕩若旦那、所払いの罪人、上方の女義太夫母娘。感涙必至、人情時代小説傑作四編。

遠田潤子著
月桃夜
日本ファンタジーノベル大賞受賞

薩摩支配下の奄美。無慈悲な神に裁かれる、血のつながらない兄妹の禁断の絆。魔術的な魅力に満ちあふれた、許されざる愛の物語。

高丘哲次著
約束の果て
—黒と紫の国—
日本ファンタジーノベル大賞受賞

風が吹き、紫の花が空へと舞い上がる。少年と少女の約束が、五千年の時を越え、果たされる。空前絶後のボーイ・ミーツ・ガール。

ギリシア神話《しんわ》を知《し》っていますか

新潮文庫　あ－7－4

昭和五十九年六月二十五日　発行
平成二十三年六月二十五日　六十刷改版
令和四年十一月二十日　六十九刷

著者　阿《あ》刀《とう》田《だ》高《たかし》

発行者　佐藤隆信

発行所　株式会社新潮社
郵便番号　一六二―八七一一
東京都新宿区矢来町七一
電話　編集部(〇三)三二六六―五四四〇
読者係(〇三)三二六六―五一一一
http://www.shinchosha.co.jp

価格はカバーに表示してあります。

乱丁・落丁本は、ご面倒ですが小社読者係宛ご送付ください。送料小社負担にてお取替えいたします。

印刷・株式会社光邦　製本・株式会社大進堂

ISBN978-4-10-125504-0 C0114